告别薇安

庆山 著

北方联合出版传媒（集团）股份有限公司
万卷出版公司

初次出版于2000年

『序言』

2000年1月，出版第一本书，短篇小说集《告别薇安》。这本书集结了我在1997、1998年期间写作的故事，大多是在一夜之间随意写完，如同一个文字游戏。包括当时随兴而起的笔名，安妮宝贝。那时我不知道自己的未来。

很多人写着写着就不写了，或者渐渐消失不见。我一直在写，写了十六年，直到此刻当下。我也已说服自己相信，人的一生，会有需要做的一些事情。我来到这个世间游玩一遭，一直在认真和专心对待的，有写作这件事。

2014年，这些以往的书版权到期，重出单行本。

小说系列，是短篇小说集《告别薇安》（2000年1月），长篇小说《彼岸花》（2001年9月），长篇小说《二三事》（2004年1月），长篇小说《莲花》（2006年3月）。长篇小说《春宴》（2011年8月）单独发行，不收入这个系列。

散文系列，是《八月未央》（2001年1月），《蔷薇岛屿》（2002年9月），《清醒纪》（2004年10月），《素年锦时》（2007

年9月）。《眠空》（2013年1月）单独发行，不收入这个系列。

回头一望，所有小说作品的内容，未曾脱离过爱欲、死亡、思省、探寻这四个主题。我关心的是人内心的问题，有时对声色世界兴趣不够投入，对时代和大话题也没有兴趣。但实际上并没有区别。色是空，空是色。在故事中一个小人物的生涯中，物质世界和大小时代一直在刻下它们的烙印。这些生涯也最终归于无常空寂的洪流。一切殊途同归。

在散文里，我写的都是自己的记忆和观察。散文更温柔也更危险一些，因为我通常会直接站在文字的前面，没有任何隐遁。

在变化的是写作的心态、技能、思考与阐释的深度。从《告别薇安》读到《春宴》，或者从《八月未央》读到《眠空》，仍有很多跳跃式的区别。有些作者二十多岁一出手即不凡，并且把这种不凡一直定型到老去。我不是这种模式。刚出来时无知无畏，文字颓废、即兴、放任、一意孤行。之后一路跋山涉水，山高水远。渐渐觉得远处更远，高处更高，自己更微渺。

有些人的文字是跟着自己的心走的。我以文字追踪自己的生命。

在《莲花》之前的早期作品里面，这颗心还曾有很多困惑、疑问、悲伤、负担。写至《莲花》，看到了一些重要的事情。《莲花》

仿佛是一种开启。到了《春宴》《眠空》，感觉获得更多自由。其间从此地到彼地，走了很多年。但我并不感觉虚度。也没有任何抱悔或遗憾之意。

其间，我把很多时间给予了生活的尝试和动荡，并且把这些变化，与无数目的不明的旅行，一一写在文字里面。我的性格，一贯不喜欢逃避或退缩，对任何人和事，总是选择直接迎面上去。书里的人也大多这样处事。但这并不是在写我自己的故事。在文字里，有很多人的故事和回忆。

我们与任何一个他人其实都是彼此组成，彼此融化的。情感、精神、追索、实践的方式也是平等如一。所以人与人之间，不管如何相隔，最终能够相会，并在心的深处产生深深的连接。在一个故事里读到自己并不奇怪。如果尝试用真实而感知的心去写作，看到的也会是整个世间或所有心灵的存在。而不纯粹是一种个人化虚构或想象。这里面有许多隐藏或直率的真意。

这十多年，一路前行，身上聚集了各种判断、定论、争议、是非。但那些试图贴在我身上的标签或各种折射，对我来说，从未显得重要，比过往云烟还要淡薄。每个人各取所需，在一部作品里，看见的不过是自己的心。心心相印也好，南辕北辙也好，都是极为自然的反应。书只是一面镜子，在阅读之中，用以照见自己。我也一直试图以文字成为自己的镜子，走到和照见自己的更深处。

如今重新出版，再次翻阅旧作，早期的一两部作品的确不是很成熟，但大概有它们自己的语言和性格。对我来说重要的是，在这些作品里面，看到自己的心路历程，挣扎与实践，点点滴滴，细微如实。与文字一路冲刷磨砺，穿过大河，想汇入大海。

我始终认为，生命该如何真实而尽力地度过，是对我们来说唯一重要的问题。而思考、创作、行动、阅读，这些推动我们。

谢谢你们陪伴了我那么久。我会继续往前走，心无旁骛，心有自在。

从二十余岁写到如今，已近中年，现在名字改为庆山。

庆山

2014年4月6日 北京

Vivian.

目次

告别薇安

他不知道她在哪里。

这样也好，也许她就会随时出现。这个游戏一开始就如此容易沉沦，他不知道是游戏本身，还是因为这仅仅是属于他和她之间的秘密。

他不记得是某月某日，在网上邂逅这个女孩。IRC里她的名字排在一大串字母中。Vivian，应该是维维安。可是他叫她薇安。

也许是周六的凌晨两点。失眠的感觉就好像自杀。

他在听帕格尼尼的唱片。那个意大利小提琴演奏家，爱情的一幕。音乐像一根细细的丝线，缠绕着心脏，直到感觉缺氧苍白。他轻轻双击她的名字，Hi。然后在红色的小窗里看到她的回答，Hi。同样的简单和漫不经心。

他：不睡觉?

安：不睡觉。

他：帕格尼尼有时会谋杀我。

安：他只需要两根弦。另一根用来谋杀你的思想。

他：呵呵。

安：呵呵。

就这样开始。

聊了很久。中途他们休息三分钟，他去倒咖啡，站起来的时候撞倒一把椅子，然后又重新开始。对话原来和下棋一样，是需要对手的，势均力敌才能维持长久的趣味。他们继续时而晦涩时而简单的语言。天色发亮的时候，她说她得去睡觉。他们没有约再见的时间。

他在卫生间里用冷水冲澡。探头去看镜子，看到一张麻木不仁的脸。其实他害怕的只是被寂寞谋杀。没有对手。在现实的人群中，他的视线穿越过城市在楼群间的狭长天空，脑子里却是一片空白。

每天早上他坐地铁去公司上班，在地铁车站买一杯热咖啡，然后在等车的间隙把它喝完。从地下走到地面的时候，他总是习惯性微微眯起眼睛。燥热的阳光像生活一样让人感觉局促。大街上到处是尘土和物质的气息。

他：我是个喜欢阴暗的人。

安：我知道。就好像我知道你肯定是喜欢穿棉布衬衣的男人。你平时用蓝格子的手绢。你只穿系带的皮鞋，从不穿白袜子。你不用电动剃须刀。你用青草味道的香水。你会把咖啡当水一样地喝。但是你肯定很瘦。

他：还有一点你肯定不知道。

安：？

他：？

走出地铁车站以后，他要经过大街中心的一个广场。那里有大片的樱花树林，是他眼中这个城市最温情的地方。走进公司所在的大厦，在等电梯的时候，他低下头，轻轻呼吸残留在肩上的花朵清香。衣服上常常黏着细小的粉色花瓣，他把它们摘下来咀嚼。

那一天。也是在电梯里，乔对他说，它们有味道吗？她是他的同事，不在同一个部门。他面无表情地看着她。他说，也许和你的嘴唇一样。乔微微吃惊地睁大眼睛，然后她笑了。

这个女孩喜欢喝冰水。喜欢的装束是白棉布裙子，光脚穿球鞋。头发很长。有漆黑明亮的眼睛。不化妆。十二岁暗恋班上的英俊男生。高中时最喜欢的男人是海明威。

安：你知道海明威是怎么死的吗？

他：不知道。

安：他把猎枪塞进自己的嘴巴，一扣扳机……

他：嗯。

安：然后他整个头盖骨都被掀飞。

他：很惨烈。

安：不是惨烈。

安：仅仅是他喜欢的方式而已。

他：你喜欢他的方式？

安：呵呵。

安：是的。我常常想，人应该如何决绝地处理自己。

安：可是生活已经把我们折磨得半死不活。

他不是太确定会有这样的女孩存在，他是在网上认识她的。他没有见过她的样子。在现实生活里，似乎并没有这样有趣的女孩。她的想法有时使他怀疑她是个男人，可是她是可爱的。她有她自己的谈话方式，他同样喜欢。

那个深夜又与薇安在网上相遇。他说，出来见一面好吗，我们去吃冰激凌。她曾告诉他喜欢吃冰激凌。她说，是南京路上的伊势丹吗，那里有一家。他说随你挑吧。

他一直相信她和他在同一个城市。在聊天的时候，她有很好的情趣和他谈论Kenzo的新款香水。她告诉他，她喜欢上海的地铁。在站台上等候，她常常有一种欲望。想突然地跳下去，然后当地铁呼啸而来，再奋力爬上台阶。她说，她喜欢这种幻想。

你喜欢看海吗，她说，大海是地球最清澈温暖的一颗眼泪。他在那里笑她，但是上海只有一条脏脏的黄浦江。

他很清楚她不会轻易答应出来和他见面。有一度时间，上海的网民习惯这种聚会。十多个人一起出去喝酒，打保龄。男人比较多一些。当然他也曾和女孩约会。网络是接近陌生人的最安全方式。他和近二十个网上认识的女孩见过面。有些一起吃顿饭就散了，再也没有见过下一次。也有例外的，比如他的前度女友蕾丝，是他见过的上网女孩里面最漂亮的一个。

这段轻率的恋情持续了六个月。那是一种猎手般迅速的好奇心和征服欲望，后来感觉到它的残酷。沉寂了很长一段时间。像一个暴食的人，有了一个空虚的胃。

他只是这样地问她，没有抱任何期望。

聊天也是好的。光着脚盘坐在大藤椅上，有时会拿一块蓝色的碎花毛毯盖在肩头和膝盖上。中途会再去煮一壶咖啡，常常会因为腿麻又恍然地碰翻什么东西。凌晨，他们下网。照例数到一至三，然后一起键入Quit，这是他需要分享的温暖的一刻。这种感觉使他沉沦。可是他相信自己是清醒的，清醒地投入网络的虚拟和情缘的迷离之中。

他开始想念她。下班，在地铁车站上，想着深夜对谈时一些可爱的细节。她的邪气慧黠的腔调，那些晦涩简单的语句。他未曾遇见过这样冰雪般凛冽的女孩。

有一次，他们在网上谈到爱情。

安：还记得第一次和女孩做爱的情形吗。

他：记得。

安：印象最深的是——

他：她眼中的泪水，流到我的手指上，很温暖。

安：你的手指从此失去了贞洁。

他：呵呵。

安：呵呵。

他：为什么要问这个。

安：想知道你的心里是否还有爱情。

他：也许还残余着百分之十。我感觉它即将腐烂。

安：不相信爱情的人，会比平常的人容易不快乐。

他：你呢。

安：有时候我的心是满的。有时候是空的。

他挤在下班的人潮中，涌进地铁车厢。微微的晃动中，车厢里苍白的灯光照亮黑暗的隧道。他四处观望了一下，突然感觉她也许就在他的身边，是陌生人群中的任意一个。车厢里的年轻女孩，很多是office小姐，一律的套装和精致的妆容。但是他感觉她不会是这一类。她在网上似乎是无业游民，无所事事的散淡样子，而且常常深夜出现。

他想如果她在这里，她会辨认出他。一个固守自己生活方式的男人。穿棉布衬衣和系带翻绒皮鞋。平头。用草香味的古龙水。也许她正在暗处发笑。但是她不会上来对他说你好。她只是暗暗发笑。

因为开始留心，他才注意到那个女孩的存在。

每天早上，她都和他在同一个站台上，等不同方向的一班地铁。短短的一段时间里，她在那里和他一样神情冷淡，带一点点慵懒。她穿宽大的洗旧的牛仔裤和黑色T恤，瘦瘦的手腕上套一大串暗色的银镯，头发漆黑浓郁，光脚穿绕着细细带子的麻编凉鞋。她喜欢斜挎一个大大的背包，有时从那里扯出一副耳机，塞着耳朵。听音乐的时候，她的脸色显得更加的疏离和冷漠。他一直想知道，她听的是否是帕格尼尼。

有时候，他想他应该突然地走上去，对她说，薇安，喝杯咖啡吧。如果是她，她会邪气而天真地抬起头看他，用她惯有的似乎不怀好意的笑容。如果不是她，那么她会扭过脸去。可是，他想留出多一点的时间看她。悠闲而笃定的。这个游戏他可以控制结局。

周末，公司去酒吧聚会。乔走过来请他跳舞。乔说，还记得我的嘴唇吗。她侧着脸在阴影中对他微笑。他抱住她，发现她已经醉了。John走过来拉住乔的手臂，你醉了，我送你回家。公司里的同事都知道John对乔的暗恋。虽然乔有一个在英国工作的摄影师男友。

乔推开John的手。她的蔷薇般醺然的脸颊伏在他的肩上。她睁着眼睛看他。林，和我跳舞。他看了看身边尴尬的John。他把她拖出了酒吧。

已经是午夜。在狭小的公寓电梯里，她再次仰起脸问他是否还记得她的嘴唇。他面无表情地看着她，然后突然地把她推倒在电梯门上。他粗暴地亲吻她。她轻声地说，我很久没有做爱。他去英国已经两年，我没有和任何男人做爱。她唇上的口红开始颓败，像被烧灼着的花瓣，无法自控。

他不记得和她做了几次，最后在一种恍惚的状态中陷入沉睡。在她的抚摸中他清醒过来。他再次要她。她脸上扭曲着痛苦的表情，低声哀求他。他把她的长发拉起来，告诉我，你不会爱上我。他听到自己麻木的声音。

她在羞耻和快乐中，仰起如花般盛开的脸。我不会带给你任何麻烦，林，你是自由的。她的眼泪从眼角滑落。他的手指轻轻地颤动了一下。眼泪的温度超出了他的记忆。

黄昏的地铁车站发生一起事故。

地铁呼啸而来，一个中年男人突然飞身跃向轨道。紧急的刹车声和尖叫在空气中凝滞。他夹在混乱的人群中，看了看出事的位置。鲜红的血迹呈喷射状。他看到一只僵硬的手轻轻摊开在那里。什么也没有抓住。

他挤出人群的时候，看到那个黑衣女孩。她的耳朵上塞着耳机，远远地站在那里，若无其事的样子。他走向出口通道。他突然觉得胃里有空虚的烧灼感，通道口涌进来的阳光使他睁不开眼睛。他再次回转身去。深夜，他和薇安刚刚讨论过生命的末日。他也许永远都不会见到她。

他看到那个女孩走过来。他平静地等着她走到他的身边。然后他说，薇安，喝杯咖啡吧。

女孩那天穿的是一件黑色的高领无袖的棉T恤，手腕上一大串银镯发出清脆的撞击声音，眼角涂着银白的亮粉。是这个夏天女孩最钟爱的妆容。她的左眼角下面有一颗浅褐色的眼泪痣。

她抬起脸看他，她没有笑。可是我的名字是Vivian，她说。她的声音是有些沙的，寂静的感觉。

他带她去了他每天早上买咖啡的店铺，Happy Cafe。他问她，你喜欢喝哪一种咖啡。她说，Cappuccino。而他的口味是Espresso，他不介意这个小小的差别。

他说，那个男人肯定是死了。女孩淡淡地用手指抚摸着盛咖啡的白瓷杯子。死亡是很平常的事情，也许他刚失业，也许他面临离婚，也许他上当受骗，也许他仅仅是厌倦。女孩把她的耳机放进包里。她说，如果他挨过那一刻，他就可以喝杯香浓的咖啡。

Vivian在一家广告公司做平面设计。他们有一些随意的约会，常常就是在Happy Cafe。

她称他为咖啡男人，因为他的生活不能缺少这种沉郁苦涩的液体。他终于搞清楚她听的音乐，不是帕格尼尼，而是Ban的低音萨克斯风。

她是个独特的女孩，脸上惯有那种淡漠的表情。陪着他喝咖啡的时候，她的话非常少。

有时他把自己的手覆盖在她的手指上，他轻轻地抚摸她指尖的那部分肌肤，她就抬起眼睛，似笑非笑地看着他。

他带她去吃冰激凌。带她去真锅，那家华亭路上的日本咖啡店。带她去Time Passage。所有他曾在网上对薇安聊到过的地方。阴暗的光线下，他看着她眼角闪烁的那颗褐色泪痣。他不想轻易地亲吻她。她坚持他得叫她Vivian。

她说，我不想做你想象中的那个人。你其实是个非常自私的男人，你知道吗。

也许，他想。自私的男人才会二十九年如一日地穿棉布衬衣和系带翻绒皮鞋，Kenzo的青草味香水一买就一百毫升。他习惯了自己的感觉，而身边的这个世界远远不符合他的梦想。

他在网上又遇见薇安。他想起地铁女孩洁白的手指轻轻放在咖啡杯上的样子。

他：如果明天就是末日，你会和我见面吗。

安：不会。

他：为什么。

安：感觉我们也许每天都在擦肩而过。或许一生都不会谋面。

安：让世界保持它一些神秘的方式，而且成人的游戏我们需要规则。

每周他去乔的公寓一两次，如果乔打他电话。

乔很清楚他们的现状。在她的男友从英国回来之前，他们是彼此寂寞和欲望的填充。当然，他们也随时可以分开。她给他做晚饭。有时半夜醒过来，看到身边这个熟睡中的男人。他的脸是英俊的。平时的冷漠表情在睡眠中显得温情，像一个天真的孩子。男人在吃饭和睡觉的时候，是可爱的瞬间，回复他们人性中甜美脆弱的一面。她轻轻地抚摸他。她知道他们的身体痴缠太久，所以灵魂越走越远。

又或许，她根本始终都未曾掌握过他的灵魂。

她记得他在电梯门口咀嚼着樱花花瓣的样子，他的身上散发淡而流离的花香，他的眼睛显得忧郁。当一个女孩觉得她不太容易了解那个男人的时候，她会爱他。乔也一样。乔发现自己已无法选择坚强。

试着问他，如果有孩子了……乔小心地看着他的眼睛。他的眼睛是冷漠的。

他说，你自己要小心，这是不应该发生的事情。

可是，乔软弱地抚摸着自己的手指，如果有了呢。

他一动不动地看着她。他说，不要给你我找麻烦，请你记住。

Vivian。他轻声地叫她，看着她侧过脸来疑问的温柔的表情。在地铁空旷的站台上，地铁呼啸的声音远远地消失。他相信这是她和他玩的一个游戏。只是现在这个游戏里处于控制地位的角色开始转变。如果她承认她是薇安，那么她就是。如果她不承认，那么她至少是Vivian。

在深夜的聊天里，他对着一个显示器，听到自己的手指在键盘上敲击的声音，孤独的声音，就好像血液在脉管里翻涌。她的语言一句句地出现，一句句地消失。随时都是末日。

再见的时候他们开始有晚安吻，她打上一个*号。在他感冒的时候，在他对她说他觉得有些冷的时候。她说，好好睡觉，乖。然后随着Quit的键入，一切终止。

Vivian是他触手可及的女孩。至少他有一部分幻想在她的身上。爱情也不过就是如此的幻觉，使他暂时忘记自己在乔身上的欲望，那些无耻的冰冷的欲望。

他说我想告诉你Cappuccino的制作方法：将深烘焙的咖啡倒入杯子，加上砂糖和一大勺鲜奶油，再撒些柠檬片。柳橙片也可以。然后是肉桂。

Vivian笑了，你可以去Cafe打工，如此专业。

他说，我大学毕业时，最想做的工作是在酒吧调酒和煮咖啡。夜色沉寂而迷乱，是他喜欢的时段。漂亮女孩独自坐在吧台的一角抽烟。咖啡的浓香与烟草和香水交织。唱片放着谋杀人思想的帕格尼尼，无止境的感觉，可以深陷。然后白天睡觉，与日光之下的世界隔绝。可是现实不容许他过如此散淡的生活。他每天都顶着阳光在钢筋水泥的城市里穿行。

我是个喜欢阴暗的男人，他说，他轻轻地在阳光下眯起眼睛。

世界再次强迫他赤裸地出现在日光之下，光线似乎可以在刹那间让他灰飞烟灭，烧灼的感觉如此疼痛。当乔在电梯门口对他说，她已经和在英国的男友分手，她有了孩子。所有等电梯的公司同事都在那里，并非不知道他和她之间的隐情。可是乔就是要大声地让他们知道，他对她负有责任，他必须对她负责。John走过来，表情复杂地说，林早点让我们吃喜糖。同事笑着开始调侃。

他不动声色地站在那里。他的眼睛刺痛而晕眩。他在被迫的情绪中感觉到自己的厌恶。

这一天是乔二十四岁的生日。那个黄昏天色异常阴暗。他尽力控制着自己，走出地铁车厢以后，到Happy Cafe买热咖啡喝。乔打通他的手机。她说，晚上你过来。他沉默没有说话。女人在陷入痴情以后开始变得愚蠢，他对她的愚蠢已经厌倦。他听到她在那里哭泣，她说，你不过来我就死给你看。她挂上了电话。

他从没有想到过婚姻。这是可笑的。乔违背了他们这个游戏的规则。

我不会带给你任何麻烦，她说过。然后她一意孤行。

他开始想念薇安。他有五天没有在网上遇见她，她行踪不定。这是倒霉的一天，他想。

他会在网上对她说，我不快乐。薇安。然后薇安会打出一个问号，用他们惯有的默契的方式。她总是给彼此留出足够的余地，她如此冰雪聪明。

晚上他在网上等待薇安。他的咖啡一点点变冷，眼皮突突地跳。他预感她今晚也许不会出现，他被内心的孤独感折磨得崩溃。他又开始想念乔温暖的身体。他只需要她的身体，不是全部。

十一点，他关掉电脑。他穿上棉布衬衣，灰色袜子和系带的翻绒皮鞋。空荡荡的大街上，路灯光是惨白的。他拦了一辆taxi，直奔乔的公寓。电梯依然狭小闷热，让他想起那个狂乱的夜晚，乔蔷薇般醺然的脸在他的手心中如花盛开。某一个时刻里，他们一样的孤独，所以彼此需要。可是他不爱她。

他的心里还有百分之十的爱情，但并不属于这个世界。

乔打开门的时候，房间里一片漆黑。他们沉默地对视了几秒。然后他反手关上门，像一只兽一样沉默而粗暴地把她推翻在墙壁上。为什么快乐如此短暂易逝，当他离开她的身体时，他内心里有惘然的无助。只有这一刻没有孤独，没有对这个世界清醒的意识，才没有绝望。然后乔打开了灯。他厌恶地挡住自己的眼睛，他说，我讨厌光线，你知道的。

她说，我们应该谈谈清楚。

没什么好谈的。他疲倦地躺在床上闭起眼睛，我累了，要睡了。

乔固执地翻转他的身体，她的眼睛是红肿的。她真的不再美丽。她说，我很爱很爱你，林。她的眼睛空洞而悲哀地看着他。

不要说这种废话，他说，你可以嫁给John，嫁给任何一个想娶你的男人。可我能给你的，只是这些。就好像我在你身上所需要的，也只是这些。请原谅我如此现实。我所需要的和所付出的必须同等。

乔不再说话。他关掉了灯。房间里又回复漆黑。

他醒过来是凌晨三点，他的身边没有乔。风从打开的窗口吹进来，是寒冷的。

他打开灯，房间里寂静空旷，只有墙壁上乔大幅的黑白照片，是她的男友去英国之前替她拍的。乔美丽的脸上有脆弱而天真的笑容。在现实中她不是他的同类，也不是他的对手。

只有Vivian才能和他共同玩一个游戏，因为彼此都有冷漠的耐心。而乔是脆弱而天真的，她需要温暖，需要诺言和永恒。

推开卫生间的门，他看到乔躺在放满冷水的浴缸里。浴缸里的水已经被血染成深红，血从她悬空的手臂滴落在瓷砖上。她的脸仰在那里，就像一朵枯萎的花朵。

他在扑鼻的血腥气中，俯下身体剧烈地呕吐起来。

最后一次从公安局出来。他疲倦地等在公司的电梯门口，没有任何思想，也没有了感觉。

电梯里只有他一个人。缓缓上升，他靠在电梯壁上闭上眼睛，深深呼吸了一下。突然听到一个温柔的声音，在那里轻轻地唤他，还记得我的嘴唇吗。他悸然地睁开眼睛，电梯还在微微晃动地上升。他额头上的冷汗顺着眼睛往下淌，他轻轻地说，我真的无法爱你。抱歉。

门打开，没有任何声音。他镇定着自己，大步走了出去。

公司是待不下去了。当他从总经理办公室出来，看见所有的同事都沉默地站在外面看着他。他面无表情走到自己的办公桌前，开始收拾东西。阳光从落地玻璃窗外照进来，他听见强烈的光线照射在脸上所发出的灼烧声音。John挡在门口。他对John说， 让开。John看着他，John的眼睛里没有任何表情。然后John突然出手，狠狠一拳沉重地落在他的脸上。

他又闻到了血的黏稠的腥味。你这个禽兽。他听到John强忍的声音。

他用手抹掉自己鼻子下面的血，走了出去。

天气开始变冷。广场上的法国梧桐在风中飘落大片黯黄的叶子。人群一样喧嚣，生活一样继续。他穿过广场，匆匆走向地铁车站。走到车站里小小的咖啡店，老板笑着对他打招呼，你好久没来，那个黑衣服女孩子来找过你好几次。一杯热腾腾的Espresso放在了吧台上。他喝了一口。没有任何人知道他遭遇的事情。地铁车站每天都流动着大群的人，可是他们都是陌生的。没有对谈，没有安慰。

除了薇安。或者Vivian。

喝完第三杯咖啡，他看到Vivian从地铁车厢里出来。她没注意到他。她在和一个四十岁左右的男人告别。那个相貌平庸但衣着不凡的男人随意地亲吻了她的脸颊，然后匆匆离去。他看着她。她朝Happy Cafe走过来。人群中她还是那个独特的女孩，黑衣，长发，充满野性和神秘的气息。她给人留下足够的幻想空间。

可是他看到真实，真实总是会出现。

Hi，她对他微笑，你似乎消失了很久。

我杀了一个人，他说，我准备逃跑。跟我一起走吧。

他看着她。她的褐色泪痣在暮色中妩媚地闪烁着，她的脸上始终是平静的表情。她是他见过的淡定的女孩中表现最好的一个。他早该知道这样的女孩，肯定有不寻常的经历。

她的眼睛似笑非笑地看着他，如果这样，我应该去举报你。一些阴郁的血液缓慢地流过他的心脏。

他说，不要欺骗我，告诉我，那个男人。

她迅速抬起头。她的眼睛镇定地看着他，她说，你想知道些什么。她平静地看着他。我从没有想过欺骗你，如果你要知道，我可以告诉你。我和那个男人同居已经有三年，他永远也不会离婚。但是他帮我维持我想要的物质生活。

你自己为什么不可以。你有工作，有自己的思想。

你以为我有谋生的资格吗。她冷笑，我什么都没有。我只是想这样生活下去。不想贫穷，也不想死。

他看着她。他对自己说，一切都正常。是的。这个世界可以有足够多的理由，让我们产生对生命的欲望。不想贫穷。不想死。只是他心中感觉失望。只是失望。

为什么会和我在一起，他说。他看着这个会沉默地陪他喝咖啡的女孩，想起那些轻轻抚摸她洁白手指的细节。他不知道他们是否爱过。

因为你在那天过来对我打招呼，她淡淡地笑，我从不拒绝生活给我的遭遇。更何况，你是如此英俊健康的年轻男人。

这个游戏本可以一直玩下去。温情而神秘的，持续在平淡乏味的生活里，可是他揭穿了真相。她同样是喜欢阴暗的女子。

好了，我先走吧。她说。她抚摸他的脸，林，你是这个世纪末日最孤独的咖啡男人。世界没有你的梦想，也没有你躲避的地方。她手腕上的银镯滑落到手臂上，露出手腕上一排零乱的红色伤疤。

是烟头深深烫伤留下的痕迹，惨不忍睹。她看到他吃惊的眼光。她说，我以前吸过毒，身上的文身还在。

我真的是不了解你，他说，从来没有了解过你。

但是为什么要了解呢，她笑，我们始终孤独。只需要陪伴，不需要相爱。

他没有回家，也没有吃晚饭。他走进最近的一个网吧。他只想等待薇安。突然他有深深的恐惧，害怕薇安会和Vivian一样的消失。她是他生命最温暖的安慰。他一直等着她。七点，八点，九点，十点。他在IRC里等待那个熟悉的名字。可是她一直没有出现。

睁着酸痛的眼睛，他向网吧的老板要了咖啡。他说，有帕格尼尼的唱片吗。想听那首《爱情的一幕》。年轻的老板说，没有。只有U2或者The Cure的音乐。他没有再说什么。他再次坐到电脑面前。他只在那里打一行字，薇安，你来。有人开了他的窗口。你是个不幸的家伙，你爱上她了。又有人开他的窗口，对他说，你的等待注定落空。

外面似乎有雨声。他在那里对着电脑，他的心里一片空白。那些曾经和薇安共同度过的夜晚，他对她诉说过他的童年，他的初恋，他残缺的家庭，他内心所有的阴暗和光明。不会再有人像她那样地了解他。可是他甚至不知道她是否真的是个女孩。

快凌晨两点，老板来提醒他即将关门。他没有带手机。他说，门外的那个公用电话号码是什么。老板告诉了他。他在退出IRC之前，郑重地对那里的人请求。请告诉我等待的那个女孩，打电话给我。我会一直等她。一直。他把号码和她的名字打在了上面。Vivian。但是我叫她薇安。

天空是暗蓝色的，有大片堆积的灰色云层。他走出网吧，呼吸到初秋冷冽清新的空气。大滴冰凉的雨点打在他的脸上。他走到附近一个二十四小时营业的小店铺，买了一包烟，八罐啤酒。然后他走进那个公用电话亭里。他独自等在那里。

马路上偶尔有汽车很快地开过，可是已经几乎没有行人，只有梧桐的黄色树叶在风中大片大片地飘落。他抽烟，喝啤酒。他感觉到这种等待的感觉是温暖的，就像薇安曾带给他的安慰。最起码他不感觉到孤独，甚至他渴望继续。两个小时过去了，天色开始发白。他把脸靠在玻璃上，他哭了。然后电话突然响了起来。

他拿起话筒，听到话筒里传来沙沙的声音。他说，薇安，你好。

是个女孩的声音，清甜的，带着磁性。是他没有听到过的美丽的声音。女孩轻轻地笑了，是我。

他感觉到自己的眼泪渗入嘴角。他吮着它，泪水的滋味是咸的。他差不多是忘了。

他说，薇安。我在这里喝完了八罐啤酒，抽完了一包烟。天下着雨。

为什么一定要我打电话给你。

不知道，他说，我只是想念你。见我一面，薇安。我不注重外表，你对我如此重要。

女孩笑着说，我不是不敢见你。而且我也不在上海。

那么我过来看你，薇安。告诉我你在哪里。

她报给他一个城市的名称，但是她不告诉他具体地址。她说，我不会见你。

为什么。

以前告诉过你理由，我来过上海，上海和上海男人永远是我的情结。可是我宁可在幻想中，你带我去吃冰激凌，带我去西区的酒吧。不会有开始，也就不会有结束。

他说，我知道，你需要一个完美的游戏。可是我总不是那个能坚持到最后的玩家。

女孩说，只要有一个人能坚持到最后，这个游戏还是会完美。

他看着玻璃上滑落的雨滴，城市的黎明已经来临。他说，我马上要离开上海了，也许会去澳洲。

女孩说，你不管在哪里，总可以在网络上找到我。我在这里。

听我说完最后一句话吧，他轻轻地说。女孩在那里沉默。然后他对着话筒，他说，谢谢你，在这个夜晚和凌晨，耗尽我最后的百分之十的感情。我终于一无所有。

办完签证，他抽出一天的时间去了薇安的城市。

那个遥远的海滨城市，在离他千里之外的北方。他看到她以前常在网上对他提起的大海，蔚蓝的辽阔的大海。她说，大海是地球清澈温暖的一颗眼泪。她喜欢看海。然后他去逛街，城市有大片红砖尖顶的欧式建筑，古典的风情带着忧郁。街上到处是明亮干爽的北方的阳光，到处是高挑漂亮的北方女孩。他想着她也许就是其中擦肩而过的一个。

他终于可以在心里轻轻地对她说，再见，薇安。

七年

他常常会突然间地又看到她。一个下着暴雨的夏天午后，冗长的睡眠使他头痛欲裂。他恍惚地伸出手去，想拿放在地上的茶杯，听见喧嚣雨声。

他看见她从关着的门外走进来，像以前一样，穿着牛仔裤，蕾丝内衣，长发散乱地铺在背上。她安静地在房间里走来走去，带着一贯无所事事的表情。像以前早晨醒来，会看见早起的她在房间里游荡。偶尔她深夜失眠，也会一个人神经质地在房间里走动。轻轻哼着歌，不停地喝水，或者走过来抚摸他的脸。

他看着她。这一次，他知道他们不会有任何言语。

为什么在爱的时候，心里也是孤独的。有时候，他会思考这个问题。争执最凶的时候，他拖住她的头发，把她拉到卫生间里锁起来。在黑暗狭小的房间里，她失控地哭泣和尖叫，用力地拍着门。他毫不理睬，一个人自顾自地坐在地上看电视，抽烟。直到她安静下来，没有任何声音。

夜色寂静。他闻着房间里淡淡的烟草味道，电视里的体育频道的声音淹没了一切。她的哭泣渐渐微弱。他体会着自己的心在某种疼痛中缩小成坚硬的小小的一块石头。

有一次，他在地板上睡着。醒来时是凌晨两点，想起她还被关在卫生间里。打开门，看见她蜷缩在浴缸里，里面放满凉水。她看见他笑了，脸上的表情单纯而天真，好像忘记了所有的怨怼。林，我会变成一条鱼。她轻轻地说。

他沉默地把她抱起来。和她做爱，想让她疼痛，想在她疼痛的呼吸中沉沦。这一刻是最好的。淡淡的阴影中，他看到她的眼睛。她有时会仰起脸，似乎惊奇而陌生地看着他。他把嘴唇压在她的眼皮上，吸吮到眼泪。她轻声地说，好像什么也没有。他说，是的，什么都没有。什么都会没有。

他们是黑暗中两只野兽，彼此吞噬寻求着逃避。

那年八月，他带着她去医院。她穿一条蓝色小格子的裙子，裙边缀着白色的刺绣蕾丝，穿着一双细细带子的凉鞋。那一年她十七岁。他大学毕业进一家德国公司上班不久。

等着取化验单的时候，她坐在椅子上，安静地看着大厅里走动的人群。浓密的漆黑长发，略显透明的皮肤。刚成年的女孩都像一朵清香纯白的花朵，脆弱而甜美。

旁边有个刚打完针哭叫不停的小男孩，她对他做鬼脸逗他开心。小男孩愣愣地看着她，她大声地说，你再看着我，我就要亲你了。一边咯咯地笑。是非常炎热的夏天。那次手术差点要了她的命。

那一天没有做，因为医生量了体温，认为她有些发烧。就在那天夜晚，他们又有争执。是为了很小的事情。她突然打开门就往外面跑。他说，你干什么。他跟着她跑到大街上，她泪流满面，倔强地推开他的手，拦了一辆出租车呼啸而去。那是她第一次显露她性格里让他恐惧的东西。在大街上路人的侧目中，他感到恼羞成怒。他那时并不完全了解她的心情。他只是疲倦，也许疲倦的深处还有对一个未成形生命的无助和怀疑。

她很晚才回来，脸上是纵横的没有擦干净的泪痕。他不知道她去了哪里。

他说，你明天还得去医院，你又在发烧。你这样乱跑，让我很难受。然后他说，我以后肯定是要娶你的。你应该原谅我。

她站在房间门口的一小块阴影里，轻轻地带着一点点轻蔑地笑了。她说，我可以原谅你，可是谁来原谅我。

她在测体温的时候动了小小的手脚。她的烧并不严重，是微微的低烧，但是还是出了事情。医生出来叫他的名字，他从等在外面的一大排男人中站起来。夏天热辣辣的阳光透过玻璃照射进来，他突然睁不开眼睛。

那是他看到的非常残酷的一幕。一个小小的搪瓷盆里是一大堆黏稠的鲜血。面无表情的医生用一把镊子在里面拨弄了半天，然后冷冷地说，没有找到绒毛，有宫外孕的可能。如果疼痛出血，要马上到医院来。否则会有生命危险。

她已经晕眩。他把她抱了出来，她的脸色苍白，额头上都是冰冷的汗水。她的身体在他的手上，丧失了分量。就像一朵被抽干了水分和活力的花，突然之间枯萎颓败。

他带着她，辗转奔波于各个大小医院之间。不断地抽血化验，做各种检查。她跟在他身后，顺从地承担着施加在身体上的各种伤害。她从一个脆弱甜美的刚刚成年的女孩，突然变成一个表情淡漠而懒散的女人，坚强而又逆来顺受。

是从那时候起，她有了那种让他感觉陌生的笑容。常常会径自浮起来某种隐约的微笑，轻蔑的，带有淡淡的嘲讽。可是他不知道她是在轻蔑嘲笑她自己，还是对他。

她对他说，她已经接连一个星期做那个梦。怀里抱着一个小小的婴儿，独自在一条空荡荡的走廊中走路。走廊两旁有很多房间的门，可是她又累又冷，不知道可以推开哪一扇门。

没有地方可以停留。她轻轻地笑着说，我感到从未有过的孤独。

那一年，他所在的公司有一个创意，需要招一个临时的摄影模特。不要专业的。是要十五到十八岁之间的在学校里的女孩。她是跑来应聘的一大堆女孩中的一个。一个一个地等着面试。他透过落地窗的玻璃看了一下，女孩们突然看见一个玻璃后面的英俊男人，脸上的表情都有些发愣。然后一个有着漆黑且如丝缎般柔软的长头发的女孩从人群里走出来，隔着玻璃对他说，我们都渴了，有没有矿泉水。

那是他第一次见到她。瘦瘦的，在女孩子里面，她的外表不算出众。可是她的独立和古怪让人无所适从。一双明亮的眼睛平静地看着他，没有任何犹豫。

那时她在一个重点学校读高中。她从小在姑姑家里长大，父母离异，各奔东西。只有每年的起初，从不同的城市寄一大笔钱过来。但是她从不写信，不打电话。她说，每个人都为自己而活。我们是该毫无怨言的。

她的名字叫蓝。她告诉他她喜欢自己的名字，Blue。她说，你的舌头轻轻打个转，又回到最初。好像一种轮回，非常空虚。他偶尔独自的时候，会安静地体味这个发音。可是他觉得这是一个寂寞的姿势，温柔而苍凉。

她最终落选。也许参加这个活动的唯一意义，只是让他们相见。完成宿命的其中一个步骤。他约她去吃晚饭，带了一大束蓝色的巴西鸢尾。这是一种有着诡异野性的花，不是太美丽，却有伤痕。

在做爱的时候，他才意识到这个女孩也许是他命定的一个伤口。好像一个人，平淡地在路上走着，风和日丽，却有一块砖从天而降。注定要受的劫难。她在他的身上，长发飞扬，强悍的激情和放纵的不羁让他窒息。

我们的身体好像以前是一个人的。他说。他的眼睛因为感激而湿润。人可以因为身体或者灵魂而爱上另一个人。但是柏拉图是一场华丽的自慰，而身体的依恋却是直接而强烈的，更加的深情和冷酷。

那时候他就想到，做爱的本质原来是伤感的。他们把自己的灵魂押在了上面。

他们很快开始同居。她一直都想脱离掉那个寄人篱下的家。搬到他公寓里的时候，她的手里只有一只旧旅行箱。高中毕业，她没有再去读书。他通过朋友的关系，把她介绍到一家大公司去做前台。可是上班一周以后，就和老板吵架。她是太自我的人，无法轻易地被周围的社会环境同化和接纳。辞职以后，就再没有去上班。

她自己跑到一个电台里去兼职写些稿子，混些稿费。她不喜欢去社会上做事，却会做一些旁人无法接受的事情。比如参加医学上的某种生理或心理上的实验，他在偶尔发现的医院的数目不小的汇款单上发现了这件事情，整个人因为气愤和惊惧而颤抖。

为什么你要这么摧残自己。他说，你是觉得我对你不够好想惩罚我吗。她说，身体是我自己的，我为什么不能使用它。我这种人在这个世界是不会留太长的。因为本来就不属于这个丑陋的地方。那时他才发现她内心的众多角落，他无法像阳光一样照亮她。对于她来说，他或许也仅仅是这个世界的一部分。

她对他说，有一次她去参加一种抗抑郁症的新型药的效果测试，她突然产生了幻觉。仿佛回到了童年很小的时候，走在迂回的山路上，想到达顶峰。天空是鲜红的颜色，大朵大朵白云在上空迅速移动。她仰着脸看，心里安宁。觉得自己可以回家。还看见自己走在一个洞穴里，双脚赤裸，浸在清凉的水里。水缓缓流动，有清脆的声音。她走出洞口，看到一面湖水，水的颜色是紫蓝紫蓝的。

那时候，我宁愿我不要醒过来。她说。我知道我的灵魂在很远的地方。可是我失去了去寻找它的线索。我无路可走。

他渐渐又恢复以前单身，下班后去酒吧喝酒的习惯。在酒吧里，听着低迷的音乐，醺然地沉浸在烟草和咖啡的气息里，再看到年轻女孩浓艳而妩媚的脸。他会感觉自己突然需要这些简单的原始的快乐。俗气的，现实的，健康的。

她从来不给他打手机追问他的行踪。她给自己和给别人的自由度都是足够大的。而且她自得其乐，性格里有孤独的天性。他无法了解她。只有在做爱的时候，在拥抱中，才能确认彼此疯狂的激情。知道彼此是深爱的。可是面对面的时候，灵魂依然是陌生的一对路人。

她喜欢买一些打孔的原版CD，因为便宜又好听。但是那些残破的CD常常放着放着就卡住了，突然发出嘶叫。她对于他来说，就像那一段音乐。美丽而心碎，有着无法预期的恐惧。

她二十岁的时候，他二十八岁。那时他们有了第一次较长时间的分离。

他的父母虽然纵容他，却一直希望他能离开蓝，娶个受过良好教育，门当户对的女孩。蓝在他们的眼中，是有不良倾向并且危险的。她会毁了你，他们对他说。

他只是被他们之间频繁的争执所累。两个人一直在做爱和敌视之中沉溺。爱得越深，伤害越重。他有时会想象自己身边的女孩，宁可她愚笨和简单一点，却是能带给他安宁的。不会如此疲累。

他终于在父母的安排下去相了一次亲。也许潜意识里，他寻求着一种放松和解脱。约在一个大酒店的咖啡厅里见面。女孩是一个大公司里的高级职员。穿着浅紫色的套装，高跟鞋，还有CD香水优雅的气息。两个人聊了一会儿。女孩有非常好的教养和内涵。送她回到家后，他没有马上回去。在深夜的空荡荡的大街上走了一段，冷冷的夜风似乎让心得到了稍许清醒。他不知道自己需要什么。是一段完美平静的婚姻，还是这一场起伏激烈的感情。

但是三年过去，他的心被磨损得脆弱而坚硬。

蓝是没有未来的人。没有未来给她自己。也没有未来给她身边的人。

回到家里，她在看电视。她是从不看电视的人，但是很奇怪，这一晚她在看电视。他看着她，她微笑等他说话。他有些发觉她和别的女孩的不同。她总是直指人心。

你觉得和我在一起幸福吗。他说。

我知道，她平静地点点头，你父亲刚给我打过电话。

我并没有决定什么。他想解释。

你不需要决定什么，你能决定什么。她就这样轻蔑地微笑着看着他。

她离开他两年，沿着铁道线从南到北，独自漂泊过大大小小的城市和乡镇。没有给他打过一个电话，只是寄一些没有地址的明信片给他，上面的邮戳是不同地方的，也没有任何片言只语。她是想念他的，但没有任何话想对他说。也许是无法原谅他。

他偶然在一本旅游杂志上看到她写的游记，还有她的照片。她在贵州的某个贫困山村里，教了六个月的书，写了一些文章。照片里的她看过去是黑瘦的，穿着白棉布衬衣，站在泥泞里，身边有几个牙齿雪白的衣着褴褛的农村孩子。他仔细地想看清照片上她的脸。她的长发编了两条粗粗的麻花辫子，还插了几朵纯白的野山茶。脸上没有任何化妆，只有一双漆黑明亮的眼睛依旧，灿烂地带着笑。

文章里有他熟悉的一句话，她说，我一直想给我的灵魂找一条出路。也许路太远，没有归宿，但是我只能前往。

那时他和那个白领女孩交往了一段时间。一切发展顺利，直到他们开始做爱。那个夜晚，他的失望和寂寞无法言喻。女孩是美丽的，也是温柔的。但是他对她的呼吸，她的肌肤，她的神情全然陌生。黑暗中全是蓝以前的样子。蓝的长发散乱飞扬。世间有许多比她更聪明美丽的女孩，但没有一个人能像她那样迎合他的需要，让他尽情。她像一朵绽放的花，在颓败和盛放中，伸展每一片风情的花瓣。如此令人恐惧的快乐。

他终于明白，他逃脱不了她的控制。他的身体是她手心中的一根线条，她可以把他掌握。

一夜情之后，他决然地和女孩分手。这样的婚姻会是可怕的。他的身体停留不下来，灵魂更加会无所依傍。

他每个月买那本旅游杂志。不定期地看到她的照片和文章。她去了新疆和内蒙，去了东北。他不知道她在靠什么谋生。在他身边的时候，她是没有任何谋生能力的女孩，靠着他给她的食物和住所而生存着。也许正因为这个原因，他也曾无所顾忌地伤害她。在争执的时候，大声地指责她，把她关起来。没有想过她是个孤独无靠的女孩，跟了他三年，只是因为爱他。

等到冬天即将来临，他终于收到她写来的信。她在北京写的简短的信，说她病了。住在北京一个旧日朋友的家里。希望他去接她。由于长途跋涉和饮食不定，她的身体变得衰弱，并且抑郁症复发，幻觉和头痛日益加剧。

他带她回南方。在机场，下着细细的小雪花。北方大雪即将来临。在喧嚣的候机厅里，他紧紧握着她的手指。他说，你以后再不许这样离开我。她说，那你想办法把我管住。他说，我能。在机场附近珠宝店里，他买了一枚俗气的红宝石戒指给她。他说，我知道你肯定不喜欢这种戒指，但是现在我要用这种俗气的沉重的东西管制着你。你要每天都戴着它。等到我们结婚，再换好看的钻戒。

二十二岁她生日的夏天，他带她去一个小小的海岛上度假，在那里住了一个星期。

小岛到处洒满阳光。大片的树林，碧蓝的海水，咸湿的热风，晴朗的天空。他给她拍了很多照片，看着她在海水里奔跑尖叫，自己则盘腿坐在沙滩上，只是不停地追逐着她的身影，按动着快门。

黄昏去渔村里的小饭庄吃海鲜，挑各种稀奇古怪的鱼和螃蟹，饭庄门口挂着红红的灯笼。晚上看她换上白裙子，两个人在月光下的沙滩散步，走几步就停下来亲吻。走很长的山路去深山里的寺庙，爬到岩石上去采一朵她喜欢的野花，她喜欢插在头发上。

那天他们去了庙里求签。她不肯让他进去。出来的时候，她脸上一贯地微笑着。他说，什么样的签。她说，下下签，佛说我们是孽缘。他握到她的手的时候，发现她的手指冰冷。

他说，我才不相信。

晚上他们做爱。窗外是汹涌的潮声，她突然哭了。眼泪一滴滴地打在他的脸上。他把她的头揉到自己的怀里，他说，没事情的。相信我。

她说，我在那个庙里看到一块很大的石碑，上面写着同登彼岸。突然心里安静下来，我们的归宿其实一直都等在那里的，分离和死亡，这才是永恒。可是我很感激。感激宿命给我们的这一段时间。孽缘也好，只要我们可以在一起沉沦和堕落。

她说，我相信我到这个世界上来，是只为了和你见上一面。

临上船之前，她发现她戴在手上的俗气戒指丢了。好像是一种不祥的预兆，他的脸也有点发白。他说，你想得起来会丢在哪里吗。她说，我一直戴在手上的，会不会在旅店里。

他马上放下行李，朝旅店飞奔而去。是的，是很俗气的戒指，是不值多少钱的戒指，但是还是不能接受它如此无声消失的结局。

他在烈日下感觉睁不开眼睛，脸上的汗水直往下流。

没有。

他在阳光下看着她的脸。她平静地说，丢了就丢了吧。

在船上她疲倦了，想睡觉。他伸开手臂，让她躺进他的怀里，她的脸就贴在他的脖子上。走过的人都看他们一眼，他们看过去应该是很相爱的一对。深情的，平淡的。他一直是清醒的。他感觉到心里某种奇怪的孤独的感觉，让心一丝一缕地疼痛着。如果没有她，不知道自己会如何地生活。时间会治疗一切伤口。那么她也会被时间淹没。

他摊开手心，看着它，然后又慢慢地把它握起来。他想，那么时间是什么呢，是这手心里空洞的寂静的东西吗。

她说，我的左眼下面长出来一颗褐色的小痣。她指给他看，你知道那是什么吗。这是眼泪痣。这颗痣以前的确是没有的。她一本正经地对他说，那是因为你总是让我哭的原因。

她开始变得神经质。每天服用大量的抗抑郁的药物，失眠，并且脾气暴躁。

有一次，她追问他，五年前他们有过的那个孩子，到底是男的还是女的。他说，不过是个没有成形的细胞。他忍无可忍地推开她的脸，你待一边去，少来烦我。深夜，他发现她泡在浴缸的冷水里，一边淋着水一边在剪自己的头发。浴缸里满是一缕缕漆黑的发丝，看得他触目惊心。他说，你在干什么。他去抱她。她突然哭泣。她说，我不能睡觉了。我一闭上眼它就又来找我。在我手上。我不知道可以把它放在哪里。

他费劲地哄她睡下。他开始害怕她跑出去。每天上班之前都把门锁起来，把她关在里面。也带她去看过很多医生。她是严重的抑郁症，时好时坏，反复多次。

他的父母再次担心地和他对话，应该尽早和蓝分手。他没有义务和她一直在一起。

他说，她十七岁开始和我在一起，已经快七年了。我没有给过她任何名分。但事实上，她就是我的妻子，我的女儿。我必须照顾她，也只能照顾她。

那几天蓝的状态有所改善，没有太多情绪变化。在家里做了饭，然后要他陪她去公园散步。是春天的黄昏。她穿着一条白裙子，牵着他的手，笑着抬头看天空中飞过的鸟群。有一个妈妈带着可爱的小男孩在教他走路。蓝走过去对她说，让我抱抱他好不好。她笑嘻嘻地看着愣愣的小男孩，对他说，你再看我，再看我我就要亲你了。

他在旁边看着她。她二十四岁了。在任何人的眼中，她都还应该是年轻的青春的女孩。应该大学刚毕业，幻想着美好的爱情。可是只有他知道，这个女孩已经被他摧毁。在身体和精神上，她都是残缺的。

他依然记得他们初见的那个下午，隔着透明的落地的玻璃，走廊上一大排年轻的女孩。她走出来，对他说，我们都渴了，有没有矿泉水。他看得清她透明的皮肤，漆黑的眼睛，她是刚刚伸展出来的花蕾，清醇甜美。

那一刻他们共同站立在宿命的掌心中，是两颗无知而安静的棋子。一盘被操纵的棋局，棋子是不该有任何怨言的。

那天晚上她笑着对他说，在岛上的寺庙里，她对他隐瞒了一件事情。求的签还指明说她是活不过生命的第二轮的。她说，我走了，你的生活会正常起来，你会幸福。

他堵住她的嘴唇不让她说下去。他说，我已经残废。你不知道吗。你已经让我的感情残废，彻底丧失掉爱一个人的能力。

她平静地说，我总是听见有一种声音在叫我。好像是从很远的对岸传过来。它叫我过去。

他说，我们去更多的医院看看。

她说，我是注定不属于这个世界的。这个世界不符合我的梦想。我对它没有任何留恋。

我已经见过你了，也有过两年的时间做了自己喜欢的事情。去很远的地方，写字，教书。来世不想再来到这里。我走了太久，太远。感到累了。

整整七年。

他没有带她出席过公司的party，朋友的聚会，没有带她见过他的家人。

做过最多的事是做爱和争吵。是他们生活的最大内容。

有过一个没有成形的孩子。

出去旅行过一次。

送过一枚戒指给她，丢失了。

蓝因严重的抑郁症自杀。

暖暖

一九九九年三月 机场大厅，他走过来叫她的名字暖暖。一个穿着有木扣子的棉布衬衣的男人。

她记得他的声音。温和的，带着一点点沉郁。在打电话给林的那段日子里，有时来接电话的就是这个和林同租一套公寓的男人。北方人。是林以前的同事。城说，林晚上临时要加班。他对她微笑。在大厅浑浊的空气中，这个穿着粉色碎花裙子的女孩，疲倦而安静地，独自拖着沉重的行李，来投奔一个爱她的男人。

他们走到门外。天下着细细的春天夜晚的雨丝，打在脸上冷冷的。帮她打开taxi的车门时，他伸出手挡在她的头顶上。暖暖，你等一下，他说。再跑回来，手里抱着一大捧纯白的香水百合。林嘱咐过我要买花给你，我想你会喜欢百合。他把沾着雨珠的花束放到她的怀里。他笑的时候露出雪白的牙齿，像某种兽类。那件浅褐色的衬衣上有一排圆圆的木扣子，是暖暖喜欢的。

晚上三个人吃饭。还有他的女友小可。小可是土生土长的上海女孩，穿黑色裙子，刷胭脂，不是很漂亮却有韵味。暖暖吃了点东西，早早上床去睡，她太累了。林的棉被和枕头上有她陌生而亲切的气息。墙上还有她的一张黑白照片，是他给她拍完手洗出来的。暖暖睁着眼睛，带着微微惶恐和脆弱的表情。短发在风中飞扬，笑容无邪。那时候她读大一，林是大三的高年级男生，对暖暖穷追不舍。

暖暖迷糊地躺在那里，想着自己现在是在一个陌生的城市里，是林的城市。他叫她过来，她就来了。就好像在新生舞会上第一次遇见林，这个能说会道的精明的上海男孩，他教她跳舞，他说把你的左手放在我的肩上，右手放在我的手心里。她就把自己的手放在了他的手上。

半夜林把她抱了起来，乖暖暖，要把裙子换掉。他轻轻地亲吻她的额头。你终于到我身边来了，暖暖。他们开始做爱。暖暖是有点恐惧的，惘然，感觉到无助。

她想到厨房去喝水。没有开灯，走过客厅的时候，突然听见开门的声音，进来的是送小可回家的城。在门口看见穿着睡裙的暖暖，有点惊慌地站在那里。外面还有淅沥雨声。空气中弥漫着清幽的花香，是插在玻璃瓶中的那一大捧百合。两个人面对面地注视着，突然丧失掉了语言。只有雨点打在窗上的声音。

似乎是过了很久，城关上了门，从她身边经过。走到他自己的房间里。

一九九九年四月 她放着一些轻轻的如水的音乐。

暖暖的生活开始继续。

一早林从浦东赶到浦西去上班，有时晚上很晚才会回来。他在那家德国人的公司里做得非常好，工作已经成为他最大的乐趣。其他的就是偶尔早归的晚上，吃完饭在电脑上打游戏，然后突然大声地叫起来，暖暖，我的宝贝，快过来让我亲一下。

城接了个单子，一直在家里用电脑工作。家里常常只有他们两个人，有时小可会过来，但她不喜欢做饭。所以暖暖每天主要的事情就是做饭，中午做给城吃，晚上做给两个男人吃。

城写程序的时候，房间的门是打开的。他喜欢穿着旧的白衬衣和牛仔裤，光着脚在那里埋头工作，喝许多咖啡。房间里总是有一股浓郁的蓝山咖啡豆的香味。暖暖中午的时候，会探头进去问他想吃什么。渐渐地也不再需要问他，知道他喜欢吃西芹和土豆。她给他做很干净的蔬菜。吃饭的时候，两个人都不喜欢说话，但是有一种很奇怪的默契。两个人的心里都是很安静的。

城感觉到房间里这个女孩的气息。有时她独自跪在地上擦地板，有时洗衣服，一边轻轻地哼着歌。她喜欢放些轻轻的音乐，通常是爱尔兰的一些舞曲和歌谣。然后做完事情后，就一个人坐在阳台的大藤椅上看小说。她是那种看过去特别干净的女孩，没有任何野心和欲望。就像她的黑白相片，寂静的，不属于这个世间。

小可对城说，暖暖应该是传统的那种女孩，却做着一件前卫的事情，同居。

城说，她和你不一样。她是那种不知道自己要什么的女孩。

一九九九年五月 似乎他注定要这样安静地等待着她。在人群涌动的黄昏暮色里。

下午城去浦西办事情。暖暖出去买菜，习惯性没有带钥匙，把自己关在了门外。

打手机给城。城说，暖暖要不出来吃饭吧。不要做了，林晚上反正要加班。他们约在淮海路见面。暖暖坐公车过隧道，才发现自己来上海快一个月，林从没有带她出去玩过。

暮色的春天黄昏，街上行色匆匆的人群。暖暖下车，对着镜子抹了一点点口红。她还是穿着自己带来的碎花棉裙，柔软的裙子打在赤裸的小腿上，有着淡淡怅惘的心情。

城等在百盛的门口。在人群中远远看过去，他是那种沉静的，又隐隐透出锐利的男人。很少有男人有这些东西了，他们逐渐变成商业社会里的动物，例如林。他渐渐让暖暖感觉到陌生。可是城等待着她的样子，让她想起他们在机场的第一次相见。熟悉的感觉。

似乎他注定要这样安静地等待着她。暖暖突然感觉到眼里的泪水。

城带暖暖去吃了她喜欢的水果比萨。在必胜客比萨饼店里，暖暖侧着头，快乐地点了橙汁和色拉。她像个没有得到照顾的孩子。寂寞的，让人怜惜的。城注视着她。他体会着女孩与女孩之间的不同。小可独立精明，永远目的明确。可是暖暖是暧昧脆弱的。她像一朵开在阴暗中的纯白的清香的花朵。

他们没有说太多的话，和以前一样。只是偶尔，城说一小段他北方的家乡，和他童年的往事。暖暖微笑着倾听。他们这顿饭吃了三个小时。在流水般的音乐里，在彼此的视线和语言里，温柔地沉沦。

打的回家，暖暖睡着了。她的脸靠在城的肩上，轻轻呼吸。城伸出手去扶住她的脸，不让她滑下来。一边低声地叫她，暖暖，不要睡着啊，我们一会儿就到家了。

是在公寓楼阴暗的楼梯上，在月光下，暖暖看到城注视她的眼睛，疼惜而宛转的，充满爱怜。她是这样近地看着他的脸。一个带着一点点落拓不羁的男人。他的气息，他的棉布衬衣，他的眼睛。

暖暖，你让我的心里疼痛，你知道吗。他伸出手抚摸她的脸颊。他克制着自己。

有时候，我会很害怕。城。这是真的。女孩温暖的眼泪滴落在他的手心上。几乎是在瞬间，所有的刻意和压抑突然崩溃。他无声地拥她入怀，激烈得近乎粗暴地堵住她的嘴唇，想堵住她的眼泪。暖暖，暖暖，我的傻孩子。

他把脸埋在她的颈窝上，感受到窒息般的激情，淹没的理性和无助的欲望。你是美好的，暖暖。他低声地说。为我把你的头发留长好不好，你应该是我的。

一九九九年六月 你知道你无法把我带走。你知道我们是不自由的。

有些人注定是要爱着彼此的。暖暖想。甚至她想，认识林也许只是为了能和城相遇。时间和心是没有关系的。认识城是一个月，和林是四年。可是他们做不了什么，似乎也没有想过要做些什么。付出的代价太大，不知该如何开始。林和小可都是没有错的，他们也没有错。所以当城对她说，他找了份工作，要搬到单位宿舍里去住，暖暖轻轻地点了点头。她是知道他的。他也只有如此做。

小可帮城一起来搬东西。她对暖暖说，我们的房子已经付了第一笔款子，钥匙要过半年拿到手。城现在搬出去也好，让你们两个人好好地过没人干扰的生活。

好像是起风了。

城和他们在一起的最后一个晚上，暖暖在厨房里做晚饭。林喜欢吃的鱼和城喜欢吃的西芹，每天她给两个男人做不同口味的菜。林依然沉溺在电脑游戏里面，城写程序，暖暖在厨房里放了一个小小的收音机，收听调频的音乐节目，一边透过窗口看着暮色的天空，大片灰紫的云朵，和逐渐暖起来的春风。这样的时候，她的心里就会想起那个迷离的夜晚。在楼道上，城霸道野性的气息，激烈的亲吻，温柔的疼痛。

他是她可以轻易地爱上的男人。

他是别人的。

凌晨三点，暖暖醒过来。林迷糊地说，你又要去喝水。他知道这是暖暖的一个习惯。暖暖光着脚轻轻地走到客厅里，她没有开灯。窗外很大的风声，房间里依然有百合清冷潮湿的花香。那是她到上海的第一天，城曾送给她的花朵。她一直持续地去花店买。他说你也许是喜欢百合的。她的确喜欢百合。

她打开冰箱倒了一杯冰水。一双手无声而坚定地捕捉了她。她知道是谁，他们没有发出任何声音。他拥抱住她有轻轻的颤栗，他说，暖暖，我们是有罪的吗。可是上天应该原谅我。因为我是这样地爱你。

他把她推倒在墙上。她在他的亲吻中感觉到了咸咸的泪水。

她低声地说，城，我的头发很快就会长了。你要离开我。

他说，我可以把你带走，我们是自由的。

她说，你知道你无法把我带走，你知道我们是不自由的。你一直都知道。

一九九九年七月 我知道我们似乎无法在一起。

很安静的生活。两个人。房间里一下子显得空荡了许多。林去上班，暖暖在家里洗衣服，看书，还是常常放着轻轻的爱尔兰音乐。在阳台上种了一些鸢尾和牵牛。有时给花浇完水，就一个人对着明晃晃的阳光出神。

房间里再也听不到清脆的键盘敲击声。没有了那个剃着短短平头的男人，穿着旧的白衬衣和牛仔裤，光着脚坐在电脑面前工作。他的气息和蓝山咖啡浓郁的清香。在她跪在地上擦地板的时候，她常常很安心地听着他的键盘声音。因为一探头就可以看见他。他叫着她的名字，暖暖。用他的北方口音的普通话。

没有和林做爱已经很久。原来女人和男人真的不同。女人的心和身体是一起走的。如果心不在身体上，身体就只是一个空洞的陶器。林没有勉强她，他说，暖暖你是否感觉很寂寞，或者出去随便找份事情做，可以有些社交。可是我又真的不放心你出去。你总是需要照顾。

暖暖说，你是在照顾我吗。她的脸上带着淡淡的微笑，她是不轻易表达自己失望和不满的人。和林在一起的日子，的确是寂寞的。他不知道她想要什么。也许如果他知道，他肯定会非常愿意给她。但是问题是，他不知道。也许永远都是疑问。他不是和她同一类的人。虽然他爱她。

但是暖暖想她还是可以和林一起生活下去，就像城会和小可在一起一样。也许和林同居半年左右他们就可以结婚，过着平淡而安静的生活。即使是有点寂寞的。

下午，暖暖一个人出门，去了医院。天气已经非常炎热。暖暖坐了很长时间的车，照着地图找到瑞金医院。人很多，坐在走廊的靠椅上等着叫号的时候，买了一本画报看。

画报上有一组特别报道，一大堆可爱小宝宝的照片，下面是他们的父母对他们出生的感想。暖暖找到一个自己喜欢的宝宝，是个小男孩，好奇地睁着大眼睛。他的妈妈说，黑黑瘦瘦，眼睛又大，像个ET。问医生为什么会这么难看，医生说，还没有穿衣服嘛。的确是个很像ET的小宝贝。暖暖怜爱地看着那张照片，微笑着。

化验结果很快就出来了。暖暖没有太大意外。医生问她你要他吗，暖暖说我回去想一想。走出医院，她把那本画报紧紧地抓在手里。她想也许是个男孩子，会有和城一样的手指和眼睛。

在路边电话亭里，她给城打了手机。她一直都记得这个电话号码。这是他们分开后她第一次打给他。城在办公室里，暖暖在电话那端静默了很久，然后她说，城，我想见你。你可以出来吗。

还是在淮海路的百盛店门口。一样的暮色和人群。远远地看见城，一样地穿着旧的白棉衬衣和牛仔裤，脸因为消瘦而显得更加英俊和锐气。暖暖想，这真的是个和林不一样的男人。林每天都西装革履地去三十多层的大厦上班，已经放弃掉了他的锐气。而一个没有锐气的男人是让人感觉寂寞的。

城说，暖暖你好吗。他俯下脸看她。他的目光像水一样无声覆没，暖暖看得到里面的宛转和疼痛。但是在黄昏的暮色里，他们只是平淡地对望着，像任何两个在人群里约会的男女。

我好的，城，今天是我的生日。暖暖侧着脸微笑地看着他。要我买礼物给你吗。要啊。

他们走进了百盛。暖暖走到卖珠宝的柜台前，淘气地看着他，我喜欢什么，你就给我买什么好不好。城说，没问题，我带着信用卡。暖暖看了半天，然后指着一枚戒指说，我要这个。那是一枚细细的简单的银戒指，打完折以后是二十元。

城说，暖暖，我想买别的东西。不要，城，我们是说好的。好吧。城无奈地点了点头。然后叫店员用一个紫色的丝绸盒子把它装了起来。把它放在暖暖的手心里的时候，他说，嫁给我，暖暖。他微笑着模仿求婚者的口吻。暖暖说，好的。然后她看到城的眼睛里突然涌满了泪水。

小可好吗，暖暖听见自己平静的声音。是在比萨饼店里。两个人坐在窗边，看着街上的霓虹和夜色。她希望我去美国读MBA。她姑姑在加州。一直叫我们过去。可是我不喜欢。

我知道。暖暖说，你是散淡的人，和小可是不同的。

而且我不放心你，暖暖。他低下头，有时我希望你尽快和林结婚，让我可以灰心。可有时我担心你不幸福。你会一辈子让我心疼。

暖暖微笑地看着他，如果我想跟你走，你要我吗。

城握住她的手，暖暖，有很多次我梦见我们一起坐在火车上。我知道我带着你去北方。路很长，可是你在我的身边。那是我最快乐的一刻，甚至希望自己不要醒过来。

我们可以吗，城。暖暖看着他。

可以的，暖暖。如果我们彼此都坚持下去，能够背负这些罪恶和痛苦，我们可以离开上海，离开一切。只有我们两个人。城紧紧地握住她的手指。我一直活在失去你的恐惧里，暖暖。上天给我的任何惩罚都不会比这个更令我痛苦。

他们在地铁车站等着最后一班地铁。

城说，暖暖，你尽快考虑，给我一个电话。我会处理和林和小可的一切事情。如果能够和你在一起，我愿意为你背负所有的罪恶。

暖暖说，好的。她看着城，突然感觉到自己手指冰凉，心里钝重地疼痛起来。抱抱我，城，请抱抱我。

城在人群中紧紧地抱住了她。他把她的头压在自己的胸口上，轻轻地说，暖暖，我已经无法忍耐这样的离别。或者让我一生都拥有着你，或者让我们永远都不要相见。

他的手指抚摸到她背上的头发，长长的漆黑的发丝，像丝缎一样光滑柔软。

暖暖微笑看着他，我努力把它们留长了，城，我要用它们牵绊着你的灵魂。一辈子。

暖暖回到家已是深夜。林躺在沙发上睡着了。西装没有脱，地上堆着一些啤酒罐。

暖暖蹲下去，用手抚摸他的脸，然后林惊醒过来。暖暖，你跑到哪里去了。我下班回来第一次没有见你在家里，你让我很担心。

林，我有事情要告诉你。暖暖平静地看着他，她的脸像一朵花，在黑暗中散发清冷的光泽。我不能再和你在一起。我有了孩子，可能不是你的。我想回家。

林惊异地看着她，为什么，暖暖，你在和我闹着玩吗。

不是。暖暖说，我不想让我们活在阴影里面，这对你不公平。如果没有孩子，我本来想就这样下去。现在不一样。如果依然和你在一起，我会觉得我是有罪的人。可是我不愿意这样地生活，你知道。我不会告诉你任何的细节。我只希望你能够原谅我。因为我曾经爱过你，因为我已经不再爱你。

一九九九年八月 一直在告别中。

回家的航班是晚上九点。暖暖独自等在候机大厅里，外面下着细细的雨。她没有给城打电话，不告而别也许能给他和小可更多的安宁。甚至她都不愿再让自己回想带给林的崩溃和伤害。她只是做了自己能够做的事情。时间会磨平一切。这一刻心里平静而孤单。陪伴着她的是来时的行李包，脖子上用丝线串着的那枚银戒指，和一个小小的生命。属于它的时间不会太多。

她轻轻地把手放在身体上。Hi，小ET。她笑着对他说话。

你会和我说再见吗。我们要和这么多的人告别。爱的，不爱的。一直在告别中。

一九九九年九月 或者让我们永远都不要相见。

在这个熟悉的城市里，暖暖重新开始一个人的生活。黄昏，她常常一个人出去散步。沿着河边小路，一直走到郊外的铁轨，那里有大片空旷的田野。暖暖有时坐在碎石子上面看远处漂泊的云朵，有时在茂盛的草丛中走来走去，顺手摘下一朵紫色的雏菊插在头发上。长发已经像水一样地流淌在肩上。

她感觉到内心的沉寂。所有的往事都沉淀下来。偶尔的失眠的夜里，会看见城的脸，在地铁车站的最后一面。他隔着玻璃门对她挥了挥手，然后地铁呼啸离去。空荡荡的站台上只有不熄灭的灯光，苍白地照在失血的心上。她独自在那里泪流满面。

他说，我已经无法忍耐这样的离别。或者让我一生都拥有着你，或者让我们永远都不要相见。她只能选择离去，因为不愿意让他背负这份罪恶。她已经背负了一半，于是就可以背负下全部。

在医院，她终于放肆地流下泪来。不仅仅是因为疼痛。她知道她终于割舍掉生命中与城相连的一部分。他们永远都可以成为陌路。

她开始去附近的一家幼儿园上班，兼给小孩子弹弹钢琴，教他们唱一些儿歌。生活是单纯的。开始感觉到风的清冷。她常常穿着布裙子，脸上没有任何化妆，只有一头长发像华丽的丝缎。甚至很少上街，除了上课，散步，她没有任何社交活动，也不认识任何的成年男人。除了陆。

陆是罗杰的父亲。罗杰是班里最淘气的男孩子，他的母亲在五年前和陆离异。陆对暖暖说，罗杰常对我说，他有一个有着最美丽头发的老师。

暖暖微笑地站在阳光里，白裙和黑发闪烁着淡淡的光泽。那一天他们一起走出幼儿园。罗杰在前面东奔西窜。暖暖和陆一起走在石子路上。陆惊异地看着这个年轻的女孩，她悠然地抬头观望云朵，却没有任何多余的语言。

一九九九年十月 要嫁了，因为已经为你而苍老。

一个月后，这个四十岁的男人对暖暖说，你是否可以考虑嫁给我。

暖暖看着他。他是普通的中年男人。她对他没有太深的印象。

知道他很有钱，但并不显得俗气和浮躁。剪短短的平头，喜欢穿黑色的布鞋。不喜欢说话，却可以在一边看她用钢琴弹儿歌数小时。

暖暖说，为什么。陆说，我想你和别的女孩最大的区别是，你的心是平淡安静的。这样就够了。我见过的女人很多。你在我身边，我心情是安宁的。

他看着这个素净的女孩。我知道你肯定有不同寻常的经历，你可以保留着一切，不需要对我有任何说明。我希望给你稳定安全的生活，我们各取所需。你不觉得这是最明智的婚姻吗。他的手轻轻抚摸她如丝的长发。你的头发美丽而哀愁，就像你的灵魂。可是你可以停靠在这里。

举行婚礼的前一晚，天下起冷冷的细雨。

暖暖打开长长的褐色纸盒，里面是陆从香港买回来的婚纱。柔软的蕾丝，洁白的珍珠，是暖暖以前幻想过的样子。可是那时候她以为自己肯定要嫁的人是林。陆还订购了全套的钻石首饰。他说，你脖子上那枚银戒指已经挂了很久。我不要求你一定要把它换下来。你可以戴着它。

可是也不是太久，只不过是三个月。暖暖想，为什么在心里觉得好像是上一个世纪的事情了呢。她抚摸着那枚小小的银戒指，它已经开始黯淡。这是城送给她的唯一一份礼物。那时候他们是在上海的大街上，陌生的城市，陌生的人群，和一次注定要别离的爱情。

暖暖彻夜失眠，一直到凌晨的时候，才迷迷糊糊地睡过去。凌晨三点，突然床边的电话铃响起来。暖暖想是在做梦吧，一边伸出手去，拿起电话筒。房间里只听到电话里面沙沙的声音，然后是一个男人北方口音的普通话。暖暖，他叫她的名字。城，是你吗。

暖暖觉得自己还是醒不过来。她真的太困了。可是她认得这个声音。只要一听到，就会唤醒她灵魂深处所有的追忆。线路不是太好，城的声音模糊而断续，他说，暖暖，我在美国加州。我走在大街上，突然下起大雨。我以为我可以把你遗忘，暖暖。可是这一刻，我非常想念你。我感觉你要走了。电话里的确还有很大的雨声。地球的另一端，是不会再见面的城。

暖暖说，城，我要嫁人了。因为我已经为你而苍老。

城哭了。然后电话断了。

暖暖放下电话。她看了看黑暗的房间。她想，自己是真的在做梦吧。城会有她的电话号码吗。可是摸到自己的脸，满手都是眼泪。

他们似乎从没有正式地告别过。而每一次都是诀别。

一九九九年十二月 一场沉沦的爱情终于消失。

圣诞节，暖暖收到林的一张卡片。他说他准备结婚。另外城和小可都已出国。

在信的末尾，他说，暖暖，我想我可以过新的生活了，我可以把你忘记。暖暖微笑地抚摸着卡片上凸起来的小天使图案。她开始有一点点变胖。因为有了孩子，陆坚持不再让她出去上课，每天要她留在家里。

罗杰快乐地在家里跑来跑去，和陆一起准备打扮一下那棵买回来的圣诞树。陆在客厅里大声地说，暖暖，你不要忘记喝牛奶。暖暖说，我知道了。这就是她的婚姻生活。平淡的，安全的，会一直到死。

端起牛奶杯，暖暖顺手拉开窗帘，看了看外面。奇怪的是，今年圣诞，这个南方城市开始下雪。是一小朵一小朵雪白的干净的雪花，在风里面飘舞，在冬天的夜空中。暖暖看着飞舞的雪花，突然一些片段的记忆在心底闪过。遥远上海的公寓里，弥漫着百合清香的客厅，深夜的楼道上，城激烈的亲吻，还有隔着地铁玻璃的城一闪而过的脸，是她见他的最后一面。那个英俊的忧郁的北方男人。

可是她还记得他的手指，他的眼睛，他的气息，他的声音，模糊而温柔地，提醒着她在世纪末的一场沉沦的爱情。只是心里不再有任何疼痛。

他终于消失。

最后约期

少年时，他最常做的一个梦是关于安的。好像一直在下雨。安的头发是潮湿的，水滴一点一点地，从她的发梢淌下来。她坐在那里，孤单，不知所措。他说，安，跟我回家好吗。他突然感觉自己触摸不到她。安抬起头，她的脸像小时候一样，总是习惯性地仰起来看他。天真的，没有设防。

林。我的蝴蝶没有了。她的手心里是一只空空的纸盒子，盒子上黏着蝴蝶支离破碎的残缺翅膀。安的手指突然流下刺眼的红色鲜血，她无助地把她的手藏到背后去。好痛，林。她轻轻地对他说。每一次，他都是这样，喘息着惊醒。她好像是一个被不断揉搓着的伤口，在时间里溃烂。

她是在他小学三年级的时候，转学来到他的班里。老师说，安蓝，对同学们介绍一下你自己好吗？十岁的小女孩，站在那里，孤僻地一声不吭。长长的黑发遮住了她的小脸，一直都不肯抬起她的头。她那时是从城市里下来，到枫溪的奶奶家寄养。

是他从隔壁教室里搬来课桌让她用。她从书包里掏出一个纸盒子放进桌子里。他说，这是什么。她不响，只是抬起头来看他。阳光下女孩的脸被照亮。那是他第一次看见她的眼睛，惊异地以为里面有泪光闪烁。但仔细一看，只是很潮湿罢了。

很快他就发现了那个纸盒子里的秘密。那是在上一节自修课的时候。大家都在做作业，突然有一只蝴蝶飞出来，在教室里盘旋。接着两只，三只……很快地，教室里就飞满了斑斓的彩色蝴蝶。孩子们一下子就闹起来，笑声叫声不断，争着去扑打。

当班长的他只能站起来代替老师维持纪律。只有坐在角落里的她是一动不动的。他走到她面前，掏出那个纸盒子，里面还剩下一只蝴蝶，在扑腾着翅膀。她仰起脸看着他，脸色苍白，眼神却是倔强的。他犹豫了一下，就把那个肇事的盒子扔出了窗外。然后看也不看她一眼，就跑到前面去管束同学。

她的哭泣是微弱的。那个皱巴巴的盒子早就破了。他站在她旁边，手足无措。这个孤独的城市女孩，几乎从不对别人说话。他说，我可以带你去捉蝴蝶。南山那里有很多。她第一次对他说话。她的声音异常地清甜。我只是想看一看，我不是故意的。她的泪水无声地淹没了他。

他们晚饭也没吃，就一路跑到了南山脚下。田野空阔，暮色苍茫，褐色的鸟群飞过。大片茂盛的芦苇在风中摇摆。一条幽绿的小河缓缓地流向田野。稻田弥漫着成熟中的清香。这里距离小镇的住宅区已经有点遥远，远远地还能看见飘散的炊烟。

他说，晚上我替你做一个网兜。我们明天中午再来。现在好像看不见蝴蝶。

它们回家吃饭去了。她说，我们再走过去一点看看好吗。我从没来过这里。

他带她去了。然后在南山的另一个山坡下，他们发现了那片墓地。

全镇所有死去的人大概都埋葬在这里。一块块冰冷的墓碑竖立在渐渐聚拢过来的夜雾中，突然让他有点恐惧。她在墓地里走来走去，白裙子像蝴蝶的翅膀无声地掠过，一边轻声地念墓碑上的字。她爬到了一座墓的墓身上面去，吓得他连声叫她下来。他感觉她突然变得快乐和自由。她把从墓碑边折来的紫色雏菊，一朵一朵地插到头发上去。

我喜欢这里。她看着他，眼睛明亮得让他不安。

南山是他们最常去的地方。有时候他们去爬山。一次次爬到高山顶上，看山另一侧下面的村落和水库。他们在一起不常说话。安在山上从不要林照顾她。危险的山崖，陡峭的坡道。她只是无声地跟在他的身后，不让他看她腿上、手臂上的血痕和伤疤。下山路过墓地，她总是会提出要玩一会儿。林就坐在一边，看着她在墓碑之间跳来跳去。然后有一天，她对他说，她的父母离异，谁都不想要她。

林，等奶奶不在了，我就住在这里。她说。我和蝴蝶一起住在墓地里。

他笑着捂住她的眼睛，不让她说下去。她说话向来不羁。

渐渐地她习惯留在他家里吃饭。林的父母都喜欢这个言语不多的女孩。有时她太累了，在他的床上睡着。头发上还插着各种小野花。直到她的奶奶来找，她还是睡着的。林就陪着她奶奶，把她背回家去。他记得她柔软的身体伏在他的背上，辫子散了，长长的黑发在风中飘动。然后像花瓣一样，温柔地拂过他的脸颊。

他一直都记得那个夏天的下午。他突然发现她的蝴蝶不见了。

你把它们都放了吗？他向来不同意她捉蝴蝶。

没有，我把它们埋了。她的脸上一片平静。

什么？你说什么？他简直不相信自己的耳朵。

有一只蝴蝶死了。我害怕它们都死掉。还是趁早埋了好。

你可以把它们放掉的。

为什么要放掉。它们是属于我的。

他是这样地气愤。任何话都不想再说，一把就推开了她。

晚上她的奶奶找到他的家里，说她没有回家吃饭。天下起雨，她的白裙子在夜色中轻轻闪动。他找到她，她的头发潮湿，坐在墓地一块石阶上，手里拿着那只被他扔掉过的破盒子。抬起头看他，他看到她眼睛中的泪光。他突然明白了她的内心。他把手轻轻盖在她的眼睛上。

我以后再也不会捉蝴蝶了。林。我把它们埋在这里。她给他看草地上的一个小土丘。她的手指上都是泥土。好像很多血，她晃了晃手指。他把她的手握在手心里，那双手是冰冷的。他只能痛楚地看着她，那年她十四岁。

那天晚上，他把她背回来。他背着她穿过黑暗的墓地，雨水把他们都打湿了。她突然问他，林，为什么有些墓碑上面刻着两个人的名字。

因为他们生前在一起，死后也不想分开。

我们呢。我们死后是不是要分开。

你要我和你在一起吗?

是。我们住在下面，还可以在黎明到来之前爬到南山。

他忍不住笑了，却发现她已经在他的背上睡着。

十六岁，她离开枫溪。奶奶病逝，她的一个叔叔要把她接回到城市去。在小镇汽车站，他拿出一只银镯子给她，上面有他自己刻的一只粗糙的蝴蝶。

我一直想送一只不会死的蝴蝶给你。他说，你会要吗?

她把它戴到细瘦的手腕上，仰起脸对他笑。他用手盖住她调皮的眼睛，不让她看见自己的泪水。放开来，他的手心里一片温暖的潮湿。尘土飞扬中，汽车慢慢爬上了盘山公路。

她的信很少。每次他都是一个人爬到山顶，坐在他们以前常常爬上去的那块大岩石上，看她的信。林，叔叔对我不好。我想离开这里，到别的地方去。我已经开始挣钱，在一个酒吧里兼职唱歌。他们喜欢我唱。她的信里没有地址。他只能写寄不出去的信给她。安，我会考上大学，很快到你的城市里来。请等我。他把自己写的信轻轻撕掉，站在山顶看着风把纸片吹散。

她到他的大学来看他。他走出宿舍楼，看见她站在樱花树下，微笑着看他。春日午后的阳光如水流泻，女孩的白裙闪出淡淡的光泽。他在阳光下突然睁不开眼睛。

安，他只能叫她的名字。

她笑着，笑着把她的手放到他的脸上，捂住他的眼睛。就像以前他们常常做的一样。

他们真的都长大了。她告诉他她没有考上大学，暂时也没有找到正式的工作。在咖啡店里，他看见她从555烟盒里抽出一支，以熟练的姿势放进唇间。

我现在要努力养活自己，林。我和叔叔他们没关系了。

那你的父母呢。

不知道他们在哪里。她做了个无所谓的表情。

晚上来听我唱歌好吗。她说，可能你不喜欢。但这就是我现在生活的方式。

他去了。那是一个很大的Disco酒吧。喧嚣的音乐和烟草味令人窒息。她在中场休息的时候要唱三首慢歌。她穿一条细吊带的短裙，长发半掩住脸，画得挑起的眉，唇膏是发亮的深紫。她摸摸他的脸，就走上台去。一小束幽蓝的光打在她的身上。她的声音是清甜的，像一匹缓缓撕裂的缎子。台下舞池里是相拥的人影，也许并没有人听她的歌。但她的确唱得很好。他发现自己的心是在痛着。他默默离开那里。

晚上，他又梦见她。她离开枫溪以后，他常常做这个梦。她坐在墓地的石阶上，手里拿着被他扔掉过的纸盒子。抬起脸看着他，眼中有泪光。他轻轻地说，我会把你的蝴蝶找回来。安。他把他的手盖到她的眼睛上去。然后流下泪来。

他把自己整个地埋入学业中，也许这是唯一出路。他也试着对她说，不要去那里唱歌了。我有奖学金，我还可以出去做家教，做翻译。让我来负责你的生活，好吗。

她笑着说，我一瓶香水就够你做上一年家教。我的生活已经和你不一样，你知道吗。我是个随波逐流的人，我会一直漂泊下去，停不下来。我也不知道我可以停在哪里。她看看他的脸色，试图逗他开心。我们再去爬山吧。还记得那次在山顶突然下雨了吗。我们躲在灌木丛里，你叫我把头躲到你的衣服里。我听到你的心跳声。我突然一点也不害怕了。

那现在呢。现在你还需要我的庇护吗。

现在我面对的不仅仅是一场大雨。还有沉重的人生。

他渐渐沉寂下去。清是一个有一双流离不羁眼睛的女孩。她是突然对他说话的，晚自习结束，他正在校园的樱花树林里抽烟。他看着她。在学校里没有一个女孩敢对他说话，因为他的沉默。虽然几乎每个女生都对这个学业优异的英俊男生满怀好奇，但是清不同。清刚进来，是校长的女儿。他看到那张美丽的脸上，有一种他所熟悉的表情。倔强的，而又天真。

你知道些什么。他说。

知道你在做一件无望的事情。她轻轻一笑。知道圣经里如何形容爱吗。她说，爱如捕风。你想捕捉注定要离散的风吗。

那年他大四，即将毕业。他想到外企去工作，也许那里的薪水足够他为她买一瓶香水。她不知道她的话伤他有多重。但是清劝他留校。她说，你的性格不适合到外面去奔走。我们以后都应该留在这个学校里。我父亲希望你在这里任职。他送她下楼回女生宿舍。在楼道口，清突然对他说，林，你想过吗。有时候我们只能和自己同一个世界的人在一起。那样是最安全的。

他说，你想说明什么呢。

我想说明，我是最适合你的。她的眼睛认真地看着他。我会一直等到你明白为止。她俯过身来，轻轻地吻了一下他的头发，转身上楼。他在那里站了一会儿，然后回过身。他看见了她，很久没有出现的她，静静站在樱花树下，微笑地看着他。

一切解释都是多余。他想她不会需要他的解释。而他也根本不知道该如何解释。沉默中只听见风吹过树林的声音，樱花粉白的花瓣飘落如雨。

她说，我来看你，他们说你出去了。可我知道你在这里。我等了很久。她走到他的面前，把他的手贴到自己的眼睛上。不要让我看见黑暗，也不要让我看见你的泪水。

他感觉到她的眼睛是干涸的，手指冰凉。她的头发上都是残缺的花瓣，散发着芳香。

他的眼泪无声地渗入她漆黑的发丝。

跟我回枫溪去好吗?

她轻轻地摇头，我已经没有回头的路。我走得太远，回不去。

一个星期后，她去了海南。

他的痛苦没有任何声音。也许她并不爱他，他想。失眠的深夜，他独自走到宿舍门外，看楼下的那棵樱花树，粉白的花瓣在夜色中随风飘落。那个女孩不再出现。他心中的每一条裂缝，疼痛出血的，只能以往事来填补。他伸出手，感觉风从他的手指间无声地掠过。

毕业留校后，他带清回枫溪看望父母。黄昏，清在墓地发现他坐在那里。野花在风中摇摆，暮色弥漫的田野，他看着鸟群飞过。

她说，回去吃饭。我们明天一早还要赶回去。

林站了起来。他的手上沾满泥土。你喜欢这里吗，清。他问她。

清摇头。为何要喜欢这里？我觉得很不安。

他笑笑。沉寂的心原来会丧失语言。他不再说话。

再见到她，他在大学已教了三年的书，和清订了婚。那天是在街上，清在店里试一件旗袍。他站在门口观望着熙攘的人群。已经是深秋的时分，街道两旁的法国梧桐飘落大片的黄叶。他隐约看见对面树下站着一个穿白衣的女孩，一些清甜的笑声在他心底响起。他穿过人群向她走去，看到她阳光下微笑着仰起的脸，恍若隔世。

林，好吗。她的长发剪掉了，一头乱乱的碎发，明亮的眼睛水光潋滟。他点点头。清的声音在街对面响起来，她穿了一袭鲜红的缎子旗袍，找不到他。

我该过去了。他说。

好。她还是笑着。他转过身，听见心底所有被时间填满的裂缝，一条条撑开。他的穿旗袍的未婚妻就在前面。他告诉自己不要回过头去。再也不要回过头去，生活已经平静如水，还是要日复一日地继续。可是他听到身后她轻轻的呼唤，林。她叫他的名字。

这是深藏在他心底的声音。他几乎是仓皇失措地回过头去。

他不想知道她这三年的经历。他只知道她又回到了他的身边。孤单的，憔悴失色，没有了长发。他像一只鸵鸟一样，把自己的怀疑隐藏起来。离开清的过程是艰难的，为此他放弃了大学里的工作和一贯良好的声誉。他们搬到公寓，他找到一份外企的工作，只想赚到更多的钱。一天忙碌繁重的工作之后，唯一的安慰是在回家的途中，想起待在家里的她。

她买了一台旧缝纫机。在阳台上放满了花花草草的盆栽，种了丝瓜和葡萄。餐桌上放着一大罐清水养着的百合。每天把他要穿的衬衣和西服熨得平平整整放在床边。深夜他在电脑前写E-mail给客户，她给他煮热咖啡。然后爬到他的背上去，揉乱他的头发，像一只小猫一样地撒娇。有时候靠在他腿边静静地看书。等到他做完事情，常常发现她已经睡着了。

他不知道这样的生活可以持续多久。他知道她可以做一个完美的妻子，但在这种平淡安宁的气氛下，她不羁流离的灵魂不可能停息。

也许他有时候期望她能对他诉说。她似乎藏起所有的伤口和往事。就像她十岁时和他去爬山，常常一声不吭地跟在他的后面。从不向他求助。他发现自己在恐惧着，她灵魂深处的暗涌再次像潮水一样把他仓皇淹没。

她对他说，我想出去找份工作。

我的收入维持我们的生活应该没有问题了。

我只想找份事做。她跪在地上擦木地板，我还会一样地做家务，只想有空的时候出去做事。他沉默，听见她抹布上的水滴一点一点地打在地板上。

他说，你能做什么。

她的脸色变得苍白。你所有的牺牲不断地提醒我，我是有负于你的。可是我并不这样认为，我也不需要提醒。你要我坦白和解释什么？我不想说。我的过去与他人无关。

他阴郁地看着她。她甚至不愿意让他做一只鸵鸟。任何时候她都可以为所欲为，而他除了等待和隐痛，无能为力。他走过去，一把拉住她的头发，把她拖进卫生间。淋浴喷头里冰冷的水激烈地喷射下来，他把她推到里面去。愤怒让他浑身颤栗。她倔强地挣扎着，一声不吭。她的头碰到了墙，血滴在浴缸外面雪白的瓷砖上。他强硬地制服住她。

所有少年往事中的自卑和无望。那个站在衣衫褴褛的乡下孩子中间的城里来的女孩，一尘不染的纯白布裙。尘土飞扬的盘山公路。而他只能远远地看着她离开，在灿烂的阳光下泪流满面。即使他现在努力跻身于这个城市，想为她做得更好，她始终是那个不需要他照顾的，桀骜不驯的女孩。

告诉我，你会感到痛吗。告诉我，你有没有感觉到过痛。他把她的头拉得仰起来。激烈水流下，她只能闭上眼睛，她已经无法呼吸。她哭了。在恐惧和疼痛中，她尖叫起来。你一直都不愿意碰我，你要我跪在你面前忏悔。让我告诉你我在海南如何生活，我就是靠在酒吧唱歌，跳艳舞谋生。我就是无耻下流。

他狠狠地打了她耳光。她的脸上都是血。她奋力挣开他，向门外跑去。

他找不到她。整整一个晚上，他在路上茫然而焦灼地奔走。她好像一颗水滴，消失无踪。

他打了她。他想。他只是无能为力。终于觉得好像要躺倒在马路上，走进一家小酒吧里，把自己灌得烂醉。

凌晨两点，酒吧老板对他说，先生，要不要我替你叫车回去。他似乎有些清醒过来。他说，我自己可以回去。付账的时候，他问老板，如果你十岁的时候爱上一个女孩，想想看，等到你快三十岁的时候，你是否还会继续地爱她。没想过。老板对他笑笑。爱一个女人，最好只爱她一个晚上。

可是我会，他说，我会一直爱到自己的心溃烂掉，不再痛了，心也没了。

那个凌晨，他又开始做梦。还是她十岁的时候，深夜背着她送她回家。她的奶奶提着灯笼走在前面，枫溪的碎石子小路是湿漉漉的。她的辫子散了，柔软的发丝水一样地流泻下来，轻轻地打在他的脸上。还有她熟睡中的小脸，贴在他的脖子左侧。那一小块温暖清香的肌肤。

他背着她在昏暗的烛光中向前走。那一条似乎走不尽的夜路。他只能不断地走下去。疲惫的，快乐的。他在黑暗中轻轻地笑，泪水却是冰凉的。然后在暗淡的曙光中，他感觉到她回来了。

她无声地伏在他的枕边，我回来了，她低低地说，我走了一夜，无处可去。

他伸出手去抚摸她额头上的伤口。他说，对不起。他们都没有再说话。语言是苍白的，深刻的纠缠和伤害已无法用任何语言和解。那是他第一次要她，她花瓣一样的身体。在爱欲中，他的眼泪无声地滴落在她的脸上。

我一直想要一个孩子。一个像你一样的女孩。在你离开我的时候，让她陪着我。他再次地要她。他无助地想触及她身体里面隐藏的灵魂。

她哭了。她说，你不该离开清的。我只会让你痛苦。

是，我知道她适合我。但是在遇到她之前，我已经不自由了。

我可以让你自由。

那大概是我死去的那天。他亲吻她的泪水，我已经不想和命运对抗了。你是我这一生要背负的罪。我永远都得不到救赎。

他太累了。昏昏沉沉地睡去，但是很快又惊醒。他突然有预感，她会离开他。安，他叫她的名字，寻找她的手。我在，我在这里。她马上抓住他的手。要乖乖地睡觉啊，她俯下头看着他。她的脸就像小时候一样，安静而天真。

他说，你真的不会走了吗。她对他微笑着点头，轻轻地把手盖在他的眼睛上。她的眼睛漆黑明亮，那是他闭上眼睛前看到的最后的一刻。

他一直到中午才醒过来。阳光从阳台洒进来，刚擦过的木地板是湿的，晒衣架上晾着他的洗过的衬衣，餐桌上的热咖啡散发出清香。一大瓶的百合花上面有洒过的水滴。一切和每一天的开始一样。但是她不在了。

他有时一个人坐在卫生间的地板上抽烟，一直坐到天亮。清来看他。他在家里关了很久，地板上到处是烟头和简易食品的包装纸。

请不要这样。清轻轻地抚摸他的脸，她始终是要走的，她只是想到你身边来休息一下。你留不住她。

他的眼睛定定地看着浴缸外面的一块瓷砖，那上面还有她留下的黯淡的血迹。他说，不是的。

她的眼泪。她的疼痛。在她走投无路的时候，她向他企求过自尊和诺言。但是他摧毁了她。你知道吗，我在打她之前，一直不愿意碰她。那时她已尽力想做得最好，她想把她以前的生活忘记。可是我从来没有对她说过，嫁给我，请做我的妻子。她是一个没有任何安全感的人。但是我知道她无声地希望过了。我让她的希望破碎，我们都无法原谅和忘记。

他含着泪，羞愧地看着清。他不想让她看见他的眼泪。清，也许你是对的，我们只有和自己同一个世界的人在一起才会安全。可是我们都是没有选择的。我只能等着她再次出现。

那个晚上，他又看见她。她还是坐在墓地的台阶上，布裙，长发上插满野花。很多蝴蝶停在她的身上，她的脸是笑着的。林，我和我的蝴蝶在这里住，她说。天又开始下雨了，冰凉的雨水打在她的脸上，她的头发是潮湿的。

等着我。答应我这次要等到我为止。

好。她轻轻地点头。

他心中的温暖和慰藉一如少年时的心情。知道她会在那里，不会离去。这是他们最后的约期，他不再感到恐惧。

一周后，他接到一份寄自贵州的邮件。里面是他在她十六岁时送她的银镯子。即使她一再地离他而去，那个镯子始终都在她的身边。偏僻农村的小学校长写信给他，告诉他她在那里教了一年的书，死于难产。希望他能把她的小女孩带走，这是唯一的遗言。

他看着那个日期，原来就是他梦见她的那个晚上。她真的是来与他告别和相约。

小镇生活

长大以后，我依然是一个常常会做梦的女子。在夜雾弥漫的大街上奔跑，混乱的心跳，却不清楚在身后驱赶着的力量和想要的方向。看着自己跑上一个山路盘旋的峰顶，仰起头，天空是鲜血般的赤红，云层迅速从头顶飞过。看着它，心里有了坠落的恐惧。

看过很多关于析梦的书籍，看着看着就会索然寡味。弗洛伊德不会做和我同样的梦，而我，也不会像他那样把梦当一只青蛙解剖。湖水，洞穴，滑过手指的水滴和始终面目模糊的男人。这样的场景重复出现，渐渐让我相信，不管是在白天，还是黑夜，它们是在我的心脏最深处长出的一株植物，开着迷离花朵。

某些个晚上，会迫不及待早早上床。在被窝里期待黑暗能够让我重入梦境。我独自在空荡荡的房间睡觉，没有电话，也不看电视。半夜醒来，只看见放在床边的一杯清水。

我常常不知道该如何表达自己。每一次入学，老师要求新同学彼此自我介绍。听着别人流畅自如的演讲，却清晰地感觉到自己的心脏，在激烈的跳动中钝痛。终于轮到我了。我站起来，嘴唇干燥地黏在一起，却发不出任何声音。终于我说，我是安蓝。

报出名字后，脑子一片空白。我不清楚为什么要向他们倾诉爱好、性格和感想。我没有被赋予和缺乏训练的基本能力，是一种倾诉。

梦不需要语言。它们是灵魂深处的花园。所以有时我觉得，梦才是属于我的现实，有清醒的感受，有释放的生活，有对远方和未知的探索。梦魇是一种真实，而清醒似乎是沉睡。就好像黑夜是我的白天，白天是我的黑夜。日光之下，并无新事。

一、呼吸空气中的灰尘味道

和林相见的前一个小时，我做了一个陌生的梦。在此之前，没有先兆预料我和他的邂逅。我们在各自的生活范围里生活，是两条各自摇晃着前进的鱼。

和任何一个男人的关系，都突如其来。和罗的相识，是在机场的候机大厅。春节，我去北方看冬天的大海，他是回北方的北京男人。牵系着我们的是冬日田野和一次即将起飞的夜航。空荡荡的大厅，能听见落地玻璃窗外风的回旋。我把羊毛手套脱下来，抚摸冰凉的手指，一根一根抚摸过去，听见薄薄皮肤下面，血管突突跳动的声音。这个男人微笑地看着我的手指。

他有一双属于中年男人的洞察人心的幽暗眼睛。被窥探的一刻没有让我感觉局促，我抬起头看他，他听到了我内心找不到表达方式的语言。他说，把自己看得变成一朵水仙，是因为心本来就是一朵清香洁白的花。我有点喜欢这个男人，他不需要我艰涩的语言，他自问自答。让我感觉放松。

那时候，我已经毕业，在一家大机构工作。每天穿着打领结的白衬衣，深蓝的窄身裙子和高跟鞋，对见到的客户，微笑说你好，然后圆滑应对。空调房间的沉闷空气里，有越来越浓的灰尘味道。我对同事琳梅说，我喘不过气来。琳梅习惯我有时候突然订张机票就去了远方，也习惯我在一大帮同事谈论着电视连续剧的时候神情冷淡一言不发。

我喜欢清凉猛烈的风。每一次飞机呼啸着冲上天空的瞬间，我都会屏住呼吸，深切体会到离开的纵情。

直到我遇见了罗。

他给我在北京找了工作。他说，找到适合的土壤才能开出花朵。我辞掉了工作，和家里发生冲突。搬出来以后，住进殷力的单身公寓。

从梦里醒来，发现是在客厅长沙发上。窗外夜色深浓。国庆的漫长假期，对殷力和我来说，都是折磨。卸掉乏味沉重的工作，也失去稳定的物质支撑。父亲等着我的妥协。我无法马上离开去北京开始新的生活，在电台为一档音乐节目兼职写稿。每天深夜，放着一张张的CD，天昏地暗地写稿子，一边写一边跟着Tori Amos的伤感腔调放声高歌。而殷力好不容易有假期特别想睡觉。有时他会气得拖条毯子把我的头蒙住。他奇怪我为什么没有朋友，也没有社交活动。但此时，我看见他对我走过来脸上露出笑容。

刚才有一个同事找你，叫你出去吃饭。他报给我回电的号码，殷勤地递给我手机。

是同事琳梅的男朋友。他在一个喧闹的地方，手机里的声音模糊不清。安蓝，出来吃饭。半小时后我们在丽都门口等你。他的手机断掉了。

我站起来开始飞快地穿衣服。殷力说，终于有请吃饭的人撞上门来了。他靠在一边坏坏地看我。

我说，是琳梅。就是那个小镇里来的女孩。

殷力说，你这种人也只能和淳朴的女孩做朋友，因为她知道如何宽容你。

别把我说得这么不堪，我还是比较可爱的。我打开衣橱，在他的抗议中把他的衬衣和牛仔裤翻得乱七八糟，然后套上一双球鞋就向外跑。

别吃得太多让我丢脸。殷力站在门口给了我最后的嘱咐。我知道他是高兴的。他希望我过有朋友的生活，希望我快乐，虽然我一直让他手足无措。

我在路上拦到了车。我对司机说，去丽都。我不知道它在哪里。这个城市给我的感觉始终陌生。我只喜欢它市区中心种满樱花树的广场。每年春天，樱花粉色的花瓣在风中吹得沸沸扬扬，飘落在人的脸上，肩上，头发上。那时在温暖的阳光下，路上的行人才会有柔软的笑容。

我不常在外面吃饭。殷力偶尔心情好的时候，带我去的地方是高级酒店里的烧烤吧或西餐馆。他不带我去人多热闹的地方。因为知道我喝多一点酒，就会开始放肆。

嘿嘿，我听见自己干笑了几声。开车的司机飞快地扫了我一眼，他是一个年轻男人。对着反光镜看看自己的脸，因为来不及化妆，脸色和嘴唇有点苍白。用牙齿咬一咬，用力地抿紧嘴唇，再看它的时候，已经是一朵鲜艳湿润的蔷薇。司机轻轻咳嗽。整个车厢的空间，都被浓烈的香水味道充满。那是殷力的Kenzo男用香水。我喷得如此凶猛，以至发梢都是湿漉漉的。

心里突然有了奇怪的预感。

二、来自小镇的男人

马路对面一辆出租车停了下来。他盯着那辆车，慢慢地从靠着的墙壁上直起身体。这条市区中心的繁华大街，一到晚上霓虹闪烁，人群涌动，就像一条沸腾的河流。人们面目模糊地出来活动。他看着那个女孩关上车门，穿越车流和人群，向这边走过来。她的出现让他听到河水动荡发出的声音。

她四处张望的样子有点可爱。跑过来的时候还在摇头晃脑。身上的衣服穿得很不羁，一条仔裤又旧又宽，裤腿太长翻了好几层，有点高低不齐。上面是同样偏大的白棉布衬衣，袖口也是卷着的。一头长发浓密散乱地披在肩上，穿一双球鞋。

琳梅对她举起手，安蓝。她大声叫她。女孩晃了晃手，跑到栅栏那里。她翻身爬上去再跳下来。琳梅轻轻地骂，还是老样子，从来不知道遵守交通规则。女孩气喘吁吁地抱住了琳梅和她的男友，把头凑到琳梅男友的怀里不停地顶。那个破手机，害得我赶得这么急。她的声音是甜美而快乐的。

认识一下新朋友，林，我们从小的朋友。现在在镇上的中学里教美术。琳梅把他拉过去。他灭了手里的烟头，走到前面。风吹在脸上，有些寒冷。他对她说，你好。她抬起眼睛看他。夜色中，那是一双水光潋滟的眼睛，眼神直接。她的脸上没有任何化妆，没有口红，苍白的肤色。

一个小小的瞬间，他在她的笑容后面，感受到一种抑郁的东西。应该说，是非常抑郁的东西。她淡淡收回了眼光。

丽都里面热气沸腾，人声喧哗。他们要了啤酒。琳梅和她的男友说很多的话，他们是快乐的人。而那个刚认识的女孩，她看起来本来就很快乐。说着快乐的话，有快乐的笑容。但他并不觉得她是个容易快乐的人。

琳梅曾对他说，她是辞职的同事。她的确不像是适合在大机构里工作的女孩。她没有专业的职业气息。她好像是随波逐流的人，只能跟着心的方向走。她在那里自嘲，她说，我是被装错线的木偶。她笑的时候，散乱浓密的长发都在抖动。是很放肆的笑容。

林和她喝酒。林知道琳梅约他一起出来吃饭，就是为了让他喝酒。她给他找来一个会喝酒的女孩，因为这个女孩也许和他一样需要酒精暂时麻醉。她仰起头一饮而尽，他能听到她的喉咙发出寂寞的声音。他们喝掉四瓶啤酒以后，女孩的脸颊开始晕红。眼睛水汪汪的，像闪烁的泪光。她把他手里的香烟拔了过去，放在唇上，一边大声地拍着桌子，再来再来。

有人说，水会让人越喝越冷，而酒会越喝越暖。清醇浓郁的酒精，给空虚的胃带来安慰。

他把酒瓶拿过去，她的手伸过来碰到他的手指。可是她的手指冰凉。她说，喝完酒再去跳舞。她的眼睛在灯光下看着他，似乎泪眼模糊。

到Blue的时候，已是深夜十点多。拥挤的酒吧里，她俯过来轻轻地对他说，我们再去喝好不好。Disco酒吧里沸腾的音乐混杂着浓烈的烟草味道，琳梅和她的男友已挤入了狭小的舞池。他和这个女孩走到吧台旁边，她熟练地问老板要了两个玻璃杯和一瓶红色的酒。

她说，这是他们自己调的烈性酒，名字叫火焰。这个比啤酒过瘾。她轻轻碰他的杯子，为往事干杯。苦涩的酒精在他的身体里燃烧起一片灼热的火焰，那种猛烈的灼热把他吞噬。他用手抵住自己的胸口，有一个瞬间，发不出声音。再抬起头的时候，他看见她在阴暗中的脸。她平静地看着他，声音突然有点冷漠。

她说，其实任何一个人离开我们的生活，生活始终都还在继续。没有人必须为我们停留，我们也不会为任何人停留。想清楚了，不会有任何怨言。

他看着她。他确定琳梅并没有对她说过他的故事。

他说，你不了解。

她说，不需要了解。你只要能够感觉好一点就可以。人生得意须尽欢，其实失意的时候，更需要纵情。因为快乐可以有人分享，而痛苦却没有声音。她又问他要烟抽。舞池里爆发出一段激烈亢奋的电吉他前奏。她把烟夹在手指里，一只手抓住椅子，随着音乐开始猛烈地摇头。她仰起脸，闭上眼睛深深沉溺，直到电吉他的Solo结束。她用力吸了一口烟，无限快慰吐出烟雾。

这是恐怖海峡的Money for Nothing。她说，我最喜欢的一段电子音乐。

他看着空下去的酒瓶。他感觉到胃里的翻江倒海。她迅速地扶住他，她说，洗手间在外面。他刚冲进里面就吐了。他扭开水龙头。冰冷的水冲到脸上的时候，有一刻让他窒息。他看着镜子里那张虚脱的脸。他对自己说，其实你并没有你想象中的坚强。

泪水终于滑落下来。

三、追寻想去的地方

凌晨三点多，走出Blue。扑面而来的冷风让我浑身颤抖。我张开手，一边大声尖叫一边朝空荡荡的大街跑过去，梧桐树的黄叶在风中飘落，轻轻打在脸上。清冷的雾气弥漫城市。这个场景似曾相识。我感觉自己是在梦中。

林在出租车里睡着。他醉得一塌糊涂。琳梅说，你应该手下留情，今天他爱的女孩和别人结婚了。我说，难受的时候，喝醉睡觉是最好的选择。我看着这个男人。他的脸很清瘦，嘴唇和下巴的线条显得忧伤，穿着干净的蓝格子棉布衬衣和灯芯绒裤子。脸上有长期在小镇生活的人那种略显谨慎的神情。但他应该在大城市里读过大学，并生活了很长时间。

如果不是一个英俊的男人，我也没有耐性陪他喝酒。第一眼看到他的嘴唇，我就想，这样的嘴唇，天生就是用来亲吻的。

等在洗手间门口，听到他剧烈呕吐，我想他也许会好一点。流泪，呕吐，都会让身体里隐藏的灵魂更快地空洞下来。当他打开门出来，我握住他的手指。我们转到一个黑暗偏僻的墙角里，他拥抱住我。他的脸埋在我的脖子里。他低声地说，到底有没有爱情。我闭上眼睛，没有发出声音。

在殷力的公寓楼前，我下车。琳梅和她的男友跟我道别。这个男人还在沉睡中。走出电梯，拿出钥匙开门。殷力从他的房间探出头来，他说，回来了。

回来了，我懒懒地推开他，一边朝卫生间走去，一边奋力地脱掉大衬衣和厚厚的牛仔裤。

天知道，这都是这个一米八的大个子男人的衣服。殷力皱着眉头把手挥了挥，满头的香烟味，真难闻。他说，应该把你赶回自己家里去。

我顾不上和他较劲。等浴缸泡满热水，我一下就把脸沉在了水里。殷力还在门口唠叨，今天罗打了我的手机。他要你打电话给他。

现在不想打。

这件事情，你不应该拖太久。

知道了，我听见自己从水里冒出来的闷闷不乐的声音。或者早点回去上班，或者早点去北京，任何事情都是早做决断好。就像殷力重复过好几遍的，你要么起步行走，要么躺下来。但你不能蹲着。

走出卫生间的时候，看到殷力严肃地坐在那里。他说，你这样飘荡不定，我很不放心。

放心，在你出国之前，我肯定会得到结局。我拍拍他的头发，穿着玫瑰红的小碎花睡衣蹦到沙发上。我说，今天在Disco听到恐怖海峡的曲子，很酷哦。我蹲下身做了一个抱电吉他的姿势，放开嗓门模拟了一段旋律。

殷力的脸上有了快乐而无奈的笑容。就算你是聪明的女孩，可你也不能对自己的生活没有预算。

我们可以对生活抱任何期待吗，我说，生活给我们的答案永远都是离奇。

殷力开始睡觉。我打开电脑，先放了一张CD进去。看看时间已经是凌晨五点多了，天色开始发白。离休息结束还有最后两天。两天以后，我在电台兼的那份工作也该发薪水了。写了整整一个月的稿子。那个主持音乐节目的主持人，连开场的问候也要我替她写好。我受够她的愚蠢和做作，却不能有怨言。

除了写稿，我不知道自己可以做什么。就像我对罗曾经说过，我的谋生能力并不强。可是我需要收入。百货公司里面那瓶纪梵希香水去看了好几次。如果没有离开单位，没有离开家，几百块钱一瓶的香水对我来说，从来不是问题。可是现在，最起码要写上一星期的节目稿子，才能换回来。还应该和殷力对分一半的电话费。虽然他不会和我计较。

想了一会儿现实的问题。如果生活中我有认真思考的时候，除了写稿，大部分也就是和钱有关了。可是这个问题到最后总是使人郁闷。比如王菲做个百事可乐的广告，就有上千万收入。我也许花上三生三世的时间写稿子，也赚不了那么多。所以她可以做出酷的表情，对任何人爱理不理。即使是唱片公司的老板，也不用看他太久的脸色。因为她说五年后就打算退休，足够了足够了。思路散漫地想了半天以后，我给了自己一个简单的结论：继续写稿。两天后去电台领稿费。

写完稿子是早上八点。一边打印，一边去厨房拿冰牛奶喝。然后把房间的窗帘拉严。灿烂的阳光和涌动的人群都不属于我。在床上躺下来以后，我把被子盖住头，回想了一下见到林之前做的那个梦。很奇怪，以前从来没有做过这样的梦。是一条夜色中的河流。我站在旁边，看着它。它被茂盛的浮萍所遮盖，已看不到河水，只有浮萍开出来的蓝紫色花朵散发出光泽。我看着它们，内心被诱惑无法克制。于是我走了过去，脚下一片虚无。在浮萍断裂的声音中，我慢慢地下沉，腐烂芳香的气息和河水无声地把我浸润。可是我的心里却有无限快乐。

那个男人的眼睛一闪而过。在他无助而粗暴地把我拥在怀里的那一刻，我听到他的心跳。我闭上了眼睛。

四、这是一个空城

早上一醒来就觉得心情不好。首先是父亲打了一个电话过来。一开始口气是好的，叫我回家，说如果真不想回去上班，就重新替我找工作。我说，不用你管，我想好是要去北京的。

不许去北京。父亲说。

你没有权利限制我的生活。电话断了。父亲还是沉着的。最起码他想到，如果我身无分文，最后还是得回去。可是我一直都在想着摆脱这个家。这个家除了钱，什么都没有。但是我呢，我是连钱也没有。

我在殷力的衣橱里找了一件黑色的长袖T恤。他的衬衣都可以做我的外套。然后拿了一个苹果，去地铁坐车。要交稿子，要拿薪水。虽然我一点也不想看到那几张讨厌的脸。

在地铁车站，我又遭受一次打击。碰到高中时的男友和他的妻子。那时我刚好蹲在候车站台上啃苹果。我喜欢看到陌生人，看他们一群群从我身边走过。我们之间的距离最近的时候只有两厘米，可彼此的灵魂却相隔千里。城市生活给人的感觉总是冷漠。而我是个好奇的人。小时候，我常常一动不动地看着别人的眼睛。别人对我父母说，这个女孩子一点都不怕生。长大以后，有很多人提醒过我，不能放肆地看别人的眼睛，尤其是对男人。因为这对他们来说，可能是种诱惑。

我常常想，那个被我看着的人，他是不是会走过来和我说话。我希望他能够把我带走。

然后一个高个子的男人走过来叫我，小安。我的嘴张了半天，终于叫出他的名字，你好你好。一个穿着粉红色毛衣的女人微笑着跟在他的身后，他说，我的妻子，我陪她去医院。我看到她的肚子。我连忙又说，恭喜恭喜。太客套了。我几乎不想说话。最起码有六年我没有和他相见。失去了缘分的人，即使在同一个城市里也不太容易碰到。

他认真地看了看我，他说，你要好好照顾自己。

他把手搭在女人的腰上，扶着她慢慢地走了。我想起来的是十六岁的时候，看完夜场电影，他送我回家，在楼道上他的亲吻。所有的温柔甜蜜终于凝固成脑海中一个平淡画面，而且轻易不会想起。时间让爱情面目全非。或者这并不是爱情。

我放手离开的那份感情，并不是我理想中的爱情。

那个醉酒的男人林，把脸埋在我的脖子上的时候，曾轻声问我，到底有没有爱情。我无言以对。如果我没有和他分手，我是否会和那个穿粉红毛衣的女人一样，温柔平和的脸，被好好地照顾着。而现在的我，啃着一个苹果，四处奔波，一无所有。

去北京，罗带我出去逛街。过马路，他在人群中轻声叮嘱我要小心。从车里出来，把手放在我的头顶，防止我的头被撞痛。这些温暖妥帖的细节给了我感动。

从小我是寂寞的孩子。父母忙碌于事业，常年在外。作业本上的签字都是保姆的。我从来不幻想任何安慰和陪伴。可是我答应罗。答应这个开始谢顶的中年男人，我可以去北京。

有时候，做出一个决定的理由可以是这样的简单和轻率。

感伤的心情在领到稿费以后，开始有些好转。一千五百块。虽然写的字足够抵得上一部长篇。自己也算不清楚的，这些就这些吧。反正字是非常廉价的。这种兼职也不知道有多少中文系的学生想要来做，电台根本不愁没人来写。气愤的是无意间看到的一个报告。这档音乐节目要拿出去参加评奖，用的稿子是我写的关于中国摇滚乐的现状。我查了多少资料，听了多少CD才码出来的字，居然只署了主持人的名字。

办公室里一片寂静，我知道他们都在装糊涂。不就是因为她是市里某个领导的亲戚吗。除了念几句普通话，她懂什么音乐。我微笑着看着那个报告，心里迅速地盘算着。没有了这份工作，估计我的日子在一段时间会比较难过。但如果忍受这种轻视，我的日子会一直都比较难过。我拿着报告走到那个主持人面前。她把头埋在一本音乐杂志里面。

我说，这稿子是我写的，应该署上我的名字。

台长说了，大家都有功劳。如果评了奖，奖金不会少你的一份。她没有抬头，懒懒地打发我。

我想他大概从来没有搞清楚过，你的这一档节目里面，连问候语都不是你自己的。

你这是什么意思，她也许从来没有受过这种语气。她说，想给我的节目写稿的人多的是。

这是你的自由。微笑着看她。我的意思只有一个，我凑近她看着她的眼睛，你很愚蠢，你知道吗。你这样愚蠢，但你却比我幸运。把报告轻轻地盖到她的脸上。我优秀的文字不想来衬托你这样的傻瓜。我走了出去。

在大街上逛了一圈，买了几份报纸。然后去麦当劳排队买了午餐。薯条，辣翅，还有橙汁。我给殷力打手机，他的手机关掉了，却吃了我好几个硬币。在广场花园里，挑了一棵樱花树坐下。一边啃辣翅，一边仔细浏览报纸上的招聘信息。广告公司倒是挺多。我不是没去试过。第一个公司我干了一个月。那个很赏识我的部门经理对我说，只要你不怕这些东西会把你写得残废掉。我知道他担忧我的前途。那些减肥品，美容胶囊，一律得按照公司倾销式的模板写，然后在晚报上大幅刊登。

终于还是走掉。

电台的兼职也很累人。但最起码，对象是我热爱的音乐。只是音乐是美好的，音乐之外的人却依然不美好。这个世界始终不符合梦想。我躺倒在草地上，把报纸蒙在脸上。阳光是这样灿烂，我身边还有一千多块钱，骂了人之后心情舒畅无比。除了前途有些坎坷。

也许真该早些去北京了。罗替我在那里找了工作，一家报纸的编辑。我不知道我为什么拖在了这里。父亲的阻拦是强大的理由。另外的呢，是否还有我内心的犹豫。他是一个已婚男人，我清楚自己也许会付出的一些代价。但是他的确是一条通道，能把我带出这个俗气无比的南方城市。千里之外的那个北方城市，有一个男人脆弱的诺言。

安蓝走在繁华街区拥挤的人群中，手臂下夹着几份报纸。她蹲在百货公司的香水柜台面前，认真地看着一瓶纪梵希的香水。出售香水的小姐把香水试用装喷在她的手腕上，安一边走一边抬起手腕闻着它。街上暮色迷离。安靠在大街的一扇玻璃橱窗上，散乱着长发抽烟。她疲倦地走出电梯，拿出钥匙开门。门是反锁着的。她脸上暴躁郁闷的表情。她明白了他的手机为什么打不通。

她用力地拍门。殷力，殷力，你给我开门。歇斯底里的声音在空荡荡的走廊上回响。

门打开了。殷力穿着一件白衬衣，衣服扣子没有扣好，头发有些乱。拜托别叫得这么响，像个病人。

你才有病呢，天还没黑，发什么情。她一脚踹开了门。一个穿着黑裙子的年轻女孩，微微有些拘谨地站在那里。安沉默地看着她。女孩向门口走出去。

殷力关上门。他的表情是生气的。我想我应该有保持自由和隐私的权利吧，这是我的家。

你赶我走啊，你可以赶我走。她笑眯眯地跳到沙发上，然后从裤兜里掏出纸币，用力地撒出去。我付你房租，电话费，水费。这些够不够。

安蓝，你必须为你的无理取闹对我道歉。

你妄想。

她的眼泪流了下来。她说，的确你已经不再爱我。

她在殷力的追赶中跑下了楼梯。匆促的脚步混杂着喘息和心跳的声音。她在街上拦了出租车。她看到殷力追到街上四处张望。她拿出烟和打火机，手指因为冰凉而有些发颤。小姐，你去哪里，司机问她。她叼着烟停滞了一下，突然发现自己无处可去。然后她说，去枫溪镇，去枫溪镇的中学。

车厢里，霓虹的明灭光线映在她的脸上。在出租车离开市区之前，她走到百货公司买了一条薄薄的棉被。坐在汽车里，她把脸伏在散发棉花清香的被子上。看着城市灯火离她越来越远，终于被抛在夜色里。

这是一个空城。对于她来说，它没有人群，没有工作，没有爱情。她逃离它笼罩的孤独空气。她想着那个男人的手指，回忆他呼吸的温度，不清楚自己要寻找的安慰。当车子盘旋着开上山路，她听见夜鸟和风从树林掠过的声音。这个场景如此熟悉。她觉得自己曾和这一切在梦里相见。

五、小镇的雨夜

他赶到学校门房，是晚上九点。天开始下起细细的冷雨。他不清楚她为什么会突然出现。她坐在窗台上等他，手里抱着一条新的棉被。脸上被雨水淋湿。漆黑的长发和眼睛，带着被隐匿起来的狼狈。

她若无其事地站起来，笑嘻嘻看着他。他不想多说什么，只是把她手里抱着的被子接过去。他说，家里离学校不是太远，我们快点走。马上要下一场大雨。

他还是老样子。像在城市里初次相见的那个晚上。从靠着的墙上直起身来，脸上有淡淡的漠然的表情。可是嘴唇和下巴的线条蕴藏着忧伤。

他们走在小镇街道上，闻到植物和泥土的气息，还有匆匆跑过去的狗的影子。街的两旁是小店铺，陈旧的木门关得很严实。林说，这里晚上没有什么活动，大家都喜欢关在家里看电视。他穿着一件衬衣，干净的脸和清澈的眼神。他属于这个小镇，却没有它的肮脏和粗糙。

三层高的小楼。他打开门，对她说，是家里花了所有的钱买的。现在家里就剩下这套房子。她闻到天井里浓郁的桂花香，还有茂盛的花草，绣球、芍药、栀子、凤仙和茉莉。他的父母去外地参加亲戚的婚礼。他为她煮了红豆稀饭。她在浴室里刚打开热水龙头，就听见外面突然爆发的雨声，粗重的雨点撞击着窗玻璃。

她感觉已经在一场梦里。花香和雨声，以及夜色都是恍惚的。她无法确定是否在一个离城市很远的小镇里面。热水顺着脸往下流，她抬起头，闭上眼睛，听见自己的呼吸。

他在房间里铺好床。她买了一床灰蓝色有大朵碎花图案的被子。他不清楚她为什么抱着这么重的被子来这里。她似乎没有担心路上可能发生的危险。在喝酒的时候，她的声音是快乐的，她的笑容也是快乐的，而他却感觉她其实是个很不容易快乐的人。她带给他隐约的不安。她像一只无理粗暴又任性的手，却满含温柔。

我想喝点热水。她懒懒地站在门口，长发有一点潮湿。他把找出来的衣服递给她。她脱下身上总是大得过分的衬衣和牛仔裤，背对着他穿上裙子。光滑的肌肤像没有任何褶痕的丝缎，修长的腿很美。她漫不经心的样子。

她钻到被窝里面。他把盛清水的杯子递给她，她就着他的手喝了。她说，这衣服是你喜欢的女孩留下来的。是，是她留下来的。你为什么没有给我打个电话问好。我打过，是个男人接的，我就挂了。我留的是我朋友的手机。你和他住在一起？我暂时住在他家里。

他点点头。他不想再问下去。她微笑着说，不是你想的那样。他的未婚妻在美国，他很快要出去。我只是他以前的选择之一，现在我们做了好朋友，因为彼此不想走到山穷水尽。她跳起来打开窗子，看了看外面的雨。

大一的时候，我，他，还有他的未婚妻，我们是同学，常常三个人一起去看电影。他买两杯冰激凌，一杯给我，一杯给她，因为他喜欢我们两个。我把我的一杯让给他，然后自己跑过去再买一杯。我很清楚我对他的爱，比谁都多。有一天，他对我说，他选择了她。他说，因为你比她要独立得多。你不会太难过。但她不一样，她离不开我，我不忍心。

她低下头，微笑着咬着嘴唇沉默了几秒钟。然后她抬起眼睛看他，因为独立就一定要承受比别人更多的离别吗。因为他觉得你可能不会受伤，因为他觉得你很坚强。可是我现在已经不难受了。是真的真的不难受了。

他沉默着。他们之间是喧哗的雨声。

那个梦魇是重复的。为了逃避某种无形的追逐，在迂回道路上奔跑，不知道追赶在身后的是什么，却清楚心里焦灼无助。在慌不择路的奔跑中，一次次陷入迷途。最后发现始终是在兜一个圈子。

她对自己说，停下来停下来。真的跑不动了。如果它要让我死，就让它来捕获我。雨声停止，空气里有清新的桂花香，新棉被柔软舒适，床边小桌子上放着林给她盛清水的杯子。

小时候，从梦里惊醒过来的她，常常把被子蒙在头上，因为恐惧而无法呼吸，直到憋得喘不过气来。很小的时候她就一个人睡觉，保姆在桌子边放上一个苹果，一杯牛奶，然后回房间休息。她独自拿出漫画书来看，吃完东西开始刷牙。没有轻轻的歌声和抚摸，没有故事和晚安的亲吻，只有寂寞的想象。在恐惧的时候，心里疼痛的时候，无助的时候，拉过被子紧紧地蒙住自己的头……

林，是你在吗。她轻轻地叫他。他没有开灯。月光照进来，模糊看到他挺立的身影。我看看你有没有掉被子，他把水杯递给她，看着她的脸和黏在汗水里面的头发，你做梦了。

是。我又做梦了。她仰起脸喝水。她说，抱我一会儿好吗。她的手拉住他的手臂，他躺在她的身边。她把身体蜷缩起来，脸伏在他的肩头边。从梦魇里惊醒过来的她，显得疲倦而脆弱。他用手抚摸她的头发，她轻轻闭上眼睛。

六、情欲是水，流过身体不会留下痕迹

阳光灿烂的小镇中学，破旧红砖楼房，传出学生的朗读课本的声音。林在讲台上放了一个缺口的瓦罐，里面插着鲜黄蓝紫和酒红色的小朵雏菊，学生们埋头用水彩画静物。林靠在一边，窗边的操场上有树林和阳光。他的脸上淡淡的阴影。

安蓝出现在门外。她穿着林的白色衬衣。她始终穿着身边男人的衣服，象征某种隐晦的依赖。她脱掉球鞋，爬到高大的教室窗台上，闲适地坐在那里，看林对学生讲解一些构图和笔法的内容。她听着他。秋千架垂在树林中间，有一排小鸟停在木板上鸣叫，林抬

头看到她。

中午，他们在中学食堂里吃饭。她感觉到周围的人异样的眼光。有一个老师偷偷回头去看她，她冲他笑，老师却慌张地别过脸去。

为什么他们都看这里，她问他。因为他们有猜测和怀疑，他沉着地吃着饭。她看着他的眼睛，他们都知道那个女孩的事情吗。是的，因为那个女孩的家庭显赫。他说。

我曾经对这件事情有许多顾虑，所以一直回避她的追求。我问她，是否考虑清楚，真的要和我一起生活。她说她考虑清楚了。我那时在北京学油画，我可以继续深造，但我回来了，做了小镇中学老师。他平静地看着她，她脱离了她的家庭，来这里和我同居一年，父母欠债替我们买了房子，还办了订婚酒席。镇里很多人都知道。一年以后，她说她要走了。

他用简单的话语概括了整件事情，省略掉所有的片段和情节。她看着他的眼睛，她可以了解这个故事里面，曾经有过的冲突和矛盾，激情和伤害。这个男人沉默相对。

你可以把这里的房子卖了，继续去北京学习油画。她说。

他微笑，轻轻摇了摇头。

他们去爬山。她摘了一朵雏菊插在头发上，问他好不好看。小镇里的她有了一张健康明朗的脸。她说，林，和你在一起的时候，心里很平静。

应该说是在大自然里面，我们的心都是平静的。

他们站在山腰的一块岩石上，俯视着大片幽静苍绿的山谷。她爬到最高的一块石头上，脱掉衬衣，尖叫着，山谷里回荡声音。然后她爬下来，有烟吗，她说。他们坐在裸露的岩石上迎着山风抽烟。

我喜欢男人。她说。喜欢和他们之间有的那种混杂着情欲、温情的友谊。我搞不清楚友情和爱情的界限。她抓了抓头发，有时候我和一个男人做爱，可是做爱以后，觉得他依然只是我的朋友。情欲是水，流过身体不会留下任何痕迹。我不知道有什么人是能够深深相爱的，也许他在非常遥远的地方。用一生的时间兜了个大圈子，却不能与他相会。

她看着他，然后她亲吻他。她的唇像清香的花朵，覆盖在他的眼睛上。他的烟还夹在手指里，她慢慢往下移动，贴在他的嘴唇上。你的嘴唇是天生用来亲吻的，你知道吗，她轻声地说。

七、十六岁开始变老

做爱的时候，感觉到眼睛里的泪水。他相信这透明液体的源泉，是在心脏的最底处。他只有通过激烈粗暴的动作才能抑制住它的倾泻。他不知道她在想什么，不知道她为什么要和他做爱，就像不知道她为什么会带着一条棉被，穿越山路来到这个陌生小镇。她是个不知道该如何寻找安慰的人，她不需要他给她语言。她的心是冷漠的。她需要情欲的温度。

在他再也无力控制而爆发的瞬间，他听到她喉咙里发出的声音，就好像她抬起头迅速喝完杯子中的酒。她的手抓住他的头发，在眼角渗出细小的几颗泪珠，迅速在空气中干涸。

他坐在床上，抽出烟给她。他们点着了烟。她笑着说，你的酒量不如我，你只能和我一起抽烟。她夹着烟走到门口，看了看小镇深蓝色的夜空。她的长发和赤裸的身体，像一种诡异野性的植物散发清香。她说，我感觉自己渐渐有些变老了，从十六岁开始我就老了。

他说，想给你画幅油画。很小的，一会儿就好。她看着他支起架子，他把画布只裁到十寸的大小。然后开了台灯，让她坐在灯光下。他的用笔很快。他说，我很小就开始画画。这是生命里唯一可以用来安慰的方式。我画着这个世界，世界就是我想象中的轮廓，似乎可以改变它，像一剂麻药。他把画布放在窗边晾干，然后把它卷了起来。他说，这是给你的。

我们继续在黑暗中抽烟。没有穿衣服，沉默地做爱。不停地聊天，喝水。我怀疑又在一场梦里。我企求他让我疼痛。在他深重地进入的时候，我咬住他肩头的皮肤，咬得浑身颤抖。

他说，我估计北京那个男人不会离婚。你真的要跟他去？

我说，无所谓。我只想有新的生活。腻味这个城市，也腻味自己。我看着他。我说，我很清楚他对我耍的那套花招，可是他无法让我受伤，你知道吗。他没有能力让我受伤。你呢，你有什么打算。你真的想一辈子就在这个小镇里教书，你不想脱离这里？

晶离开我以后，我的心里只有两个想法。一个是，任何人对我做的任何事情，我不会再有怨言，因为她是自由的。另外一个是，任何人任何事情都无法再带给我束缚，因为我是自由的。

他说，生活驱逐着我们，我们更加盲目。

他说，在哪里都一样，在哪里都改变不了我们的盲目。

天色微明，林躺在床上沉睡，入睡的样子和在出租车上一样，微微皱着眉头。安蓝穿着大衬衣，坐在旁边的椅子上看着他。她抽着烟，看他，看窗外一点一点亮起来的天空。她把烟头掐掉，穿上来时的衣服，穿上球鞋，把那幅油画夹在手臂下。她站在床边，抚摸林的脸和头发，沉默地抚摸他。然后走了出去。

安蓝走在小镇晨雾弥漫的小路上。有公鸡打鸣的声音。球鞋被草叶上的露水打湿。她有些寒冷，又拿出烟来抽。每次抽烟的姿势都是用力的，深深地用力地抽烟，但吐出烟圈的时候，却又漫不经心。这是一个小小的象征。她是个容易沉溺的人，但对结局冷漠。

她走到小镇的公路旁边，等在那里，脸上一贯地没有表情。雾气中有一辆长途车慢慢地开过来，她高高扬起手臂。她上了车。车厢里空空荡荡的，走到最后的一排位置里坐下，用力裹紧身上的衣服。

她打开那幅小油画。深蓝的背景，笔触凌乱，女孩盘坐着，身体像花朵一样绽放，长发浓密地披散两旁，一只手撑在地上，一只手夹着烟。旁边是一行小小的字：十六岁开始变老。

她看着它，然后一扬手，把它扔到了窗外。

她把对那个男人的记忆扔到了窗外。

八、沉淀下来的时间

一下车，先给殷力打电话。他叫了起来，你真要吓死我，你跑到哪儿去了。

谁叫你虐待我。嘿嘿。

你在哪里。

我在长途汽车站，身边没钱了，回不来。

好好好，马上过来接你，拜托你千万不要走开。他慌慌张张地挂了电话。

我在车站的台阶上坐下来，浑身发冷，突然感觉要生病。另外一边是个流浪的乞丐，一个肮脏的女人，头发和衣服都已经分不清颜色，蜷缩在那里，身上盖着发黑的破毯子。我看着她，不知道她是否生病饥饿寒冷孤独恐惧。她也许流浪了很多的城市，她无法停息下来。而我呢，我也不知道可以去往何处。为了生活，我再次向殷力求援。利用他曾有过，现在仍有剩余的温情。他不会和我结婚，罗也不会为我而离婚，虽然这不妨碍他们一如既往的温情。

也许我该回家了。我一直都是让父亲头疼的孩子。他以为给了我坚实的物质基础就给了我安全，包括毕业以后把我送进大机构里上班。但是他的女孩已梦魇缠身。

远远地，我看到殷力从出租车里钻出来。这个高大的男人很快就要离我而去，这个给我买冰激凌的男人要到一个比我脆弱的女孩身边去，我穿着他的衣服和裤子，我无力再回到过去。我微笑地看着他向我走过来，你的脸色怎么这么苍白，他脱下夹克裹住我。就在这个瞬间，我的身体在他的手中滑了下去。我轻声地对他说，为什么你会觉得我不会难受呢。

发烧生病的时间里，我在昏迷中不断重回小镇。空气中的桂花香，敲在玻璃上的雨声，绿色山谷中的烟，还有他黑暗中的眼睛。他爱过的那个女孩，让他的感情残废。就好像我对生活的无尽渴求，同样让我的内心空洞无比。某个瞬间，我们的孤独是一样的。彼此靠近的瞬间，孤独得以融合，却并没有消失。

我躺在病床上，看着输液的管子中，透明的小水滴一颗一颗地滑落。时间和生命不断地进入我的灵魂，同时也在不断地减少。我听到心跳的声音慢慢地缓慢，慢慢地沉静。

我叫殷力给我父亲打电话，我决定要开始工作。

父亲的脸色无限快慰。殷力也无限快慰。他说，你稍稍牺牲一下自己的感觉，却带给你身边的人巨大的安慰。哪一天，你能考虑到别人的感受。你给别人自由，你自己才会自由。

我搬出他的公寓，身上还是穿着他的牛仔裤。殷力揉揉我的头发，认真看着我。你要成熟一点，你知道吗。你是一个多么会给别人惹麻烦的女孩。

是，是你极力想摆脱的麻烦，我打掉他的手。我带走了自己的衣服和书籍。

我下个月估计就要去美国，他说，我会想念你，我真的会想念你。他拥抱我。

他很久没有拥抱我。当我们像朋友般相处，他的气息同时也离我越来越远。我知道他对我已经仁至义尽，除了没有给我爱情，而让我在独立自主的自卑中感受到无声崩溃。可是我对他再无怨言。林对我说过这个问题，我们对任何人都不该有任何怨言。我把脸贴在他的肩上。

父亲在民航帮我要了个收银的位置，他说先过渡一下，让我把精神状态调整好。

售票处在幽静的位置，工作清闲轻松，也没有领导来管。做上两天然后休息两天。很多时候我都是空闲的。空荡荡的大厅，能看到窗外的梧桐树的黄叶。早上有阳光照射进来，等到暮色弥漫，就知道一天又过去了。我抱大堆的书过去看，卡夫卡，福楼拜，昆德拉，甚至鲁迅。看书看累了，在空敞的房间里踢毽子。我的毽子踢得越来越好，隔着玻璃窗，售票柜台的小姐都习惯看我在一天的某个时候踢毽子。她们给我快乐的喝彩，也许她们很少看到这样自得其乐的女孩。

更多时候，我看着空荡荡的大厅。它这样空旷，有阳光的影子，风的声音。我不清楚它带给我的寓意。我总是看着它陷入沉默。

我给罗打电话，我说我开始正常的生活了，一时不会再去北京。罗说，这种死水般的平淡会把你淹没掉，你应该过有挑战有目标的生活，你怎么又走回去了？

我说，我累了。

他问，什么，你说什么。

我再次对他重复，我累了。然后挂掉电话。

我还是做梦。梦见一个男人在河的对岸看我，空气中潮湿的雾气和模糊的花香，他看着我。我的心满怀温柔的惆怅，希望他把我拥在怀里，让我听着他的心跳，感觉到他手指的温度，但是我走不过去。我每次都看不清楚他的脸，那应该是一张非常熟悉的脸。有我抚摸过的轮廓和线条，可是我却无从回忆。在醒过来的深夜，我习惯地去拿桌子上的水杯。想起曾经有过一个男人。

我拿出烟来抽。看到他的眼睛凝望我。

殷力最终还是走了。

我送他去机场的时候，刚好剪了头发。我把夹克拉起来裹住头不让他看。他拍拍我的头说，再藏也没用，反正不会变出一个美女来。我扑过去趴到他的背上扭他耳朵。他哇哇乱叫。整个机场大厅里的人都转过脸来看我们。

他说，汇报一下新生活吧。

我说，每天看电视台的烹调节目，已经跟着学会了做三明治，腐乳烤肉，松鼠黄鱼。毽子的最高纪录是能维持到八十下不着地。还看了二十本文学名著。

他点点头，嗯，不错，距离一个完美妻子的标准不远了。他说，我不知道是什么让你改变。你那天回来以后生病，生完病以后做了让我能够放心的选择。我不清楚你遭遇了什么，但是我心里很高兴，因为你沉静下来。你心里的那匹野马不再让你痛苦，虽然我知道你也许不会承认。但我依然想说，你爱上了一个人。

我看着他，我笑了。对我说说看，你觉得我会爱上一个什么样的男人。

殷力拿出手机放到我的手里。他打过电话来找你，我把你的单位地址告诉了他。我对他说，去看看这个女孩。她需要别人的照顾。

他第一次这样忧伤地看着我，我知道那个能够感受到你美丽的男人已出现，你可以在他的手心里安心盛开。

九、时光河流中的回归

他走在楼梯上，听见脚步声在空气中回响。出现在他面前的，是一个空荡荡的大厅，秋天阳光穿过窗外的树枝凌乱地倾洒进来，整个大厅依然幽暗。

他看见那个短头发的女孩，穿着白衬衣和旧的牛仔裤，在踢毽子。她的眼睛快活地随着毽子闪动，身体灵活地扭动着，有人给她轻轻的喝彩。

他站在一边，沉默看着她。他拿出烟来，放在嘴唇上。女孩看到了他。她安静地遥远地对他凝望，她打开了门。

你来了，她说。她靠在门上。

为什么把头发剪掉，他伸出手抚摸她短短的男孩一样的头发。

因为想知道，我的头发多长的时候，你才会出现在我的眼前。她懒懒地对他笑，把他唇间的香烟拔过去，放在嘴唇上。

他看着她抽烟的样子。两个人之间是轻轻回旋的风声和阳光。

无处告别

我和这个男人一起等在街边花店的遮阳棚下，一场突然的大雨正横扫这个城市。冷风里有玫瑰枯萎的香。我站在那里，看见他拿着摩托车头盔向这边跑来，穿一件烟灰色布衬衣。那时不知我们的方向是一致的，都是去赶赴一场婚礼。林和他的新娘在酒店里有一场盛大婚宴。

我和花店老板百无聊赖地闲扯，干花看起来像木乃伊，没有灵魂。

老板笑着说，鲜花不好卖呀，放一个晚上就憔悴了。

那是因为它等不到来要它的手。我抽出一枝枯萎的玫瑰，对他说，它肯定已经等了很久。

那个男人微笑地看着我，饶有兴味的样子，但什么也没说。他对我说的第一句话，是在五个小时以后。

我从酒店的大堂走出来，他等在门口。

他说，我送你回去，你醉了。雨还在下，清凉雨滴轻轻打在我燥热的脸上。他把车子开得很慢，我感谢他的沉默无言，让我在他的背后，无声地流下泪来。

净是个漂亮的女孩子，浓密头发，一双眼角微翘的眼睛。我那时是班上成绩最好的女生，但总在上课时看小说。一天数学老师忍无可忍，叫我站到教室外面去。我独自走到校园里，操场只有阳光和鸟群。那是深感恐惧的一刻，所有的人都离我而去。下课铃一响，看见净飞快地向我跑过来，一声不吭地看着我。我坐在篮球架下面，面无表情。

净说，你真勇敢。

多年以后，我还是会不断地想起那个瞬间。

我在众目睽睽之下向门外走去，教室外阳光灿烂，而我的背后是一片黑暗。我的自尊和羞愧在那一刻无声崩溃。

他把我送到楼道口。在拐角阴影里，轻轻拍了一下我的脸颊。好好睡一觉，好吗？什么都不要想。忽然感觉他什么都知道。他的眼睛看穿我的角落。我推开他的手，向楼上走去。

看见林的时候，他正从隔壁的教室走出来。阳光细细碎碎地洒在他的黑发上，那是一张明亮的让人愉悦的脸。一直到死，我都是个会对美丽动容的人。那种疼痛的触动，像一只手，轻轻握住我的心。那时我十四岁。有很多场合我们会碰到，他是隔壁班的班长。传闻很多女生都很喜欢他。他是那种温和而洁身自好的男生，对谁都保持距离。

那时我是一个孤僻的女孩，不喜欢说话。有时会在黄昏的时候，独自在操场上跑步。喜欢暮色弥漫的大操场，广大空阔，看得见天空中飞过的鸟群。我一圈又一圈地跑着，在激烈的风速中体会心跳的挣扎，直至自己筋疲力尽。

六年以后，林第一次来我家看我。他考上北方的大学，来向我道别。其间我们上了不同的重点高中，写了三年平淡而持续的信。这是他的风格，谨慎的，缓慢的，但持久。

林站在院子里。夏天的晴朗夜晚，风中有盛开的蔷薇花香。他穿着一件浅蓝的衬衣，肩上是飘落的粉白花瓣。我伸出手去，轻轻拂掉他肩上的花瓣。林微笑地低下头去。我们都知道彼此不会多说任何言语。我们只是继续。

校园的文史图书馆。那砖砌的老房子，有木楼梯，满墙爬着的青苔。净和我总是在上自修课的时候溜到那里去。午后阳光如流水一样，倾泻在泛着尘土味道的房间里。我们坐在高高的窗台上，望着外面宁静的操场，还有一棵很老的樱花树。春天，粉白粉白的花朵，开得好像要烧起来。在那里，净拿了松写给她的信给我看。

松是班里一个沉默寡言的男生。我们都很意外，他会写这样的信。

净说，他和我想象中的人完全不同。

我喜欢那种笑起来邪邪的，英俊得一塌糊涂的男人。你呢？

我好像没有想过。

我知道，你喜欢像林那样的。你们两个最会装了，一副若无其事的样子。

你想过有一天，林可能会吻你吗？

他会的。

你确信？

是，我确信。

林的信从遥远的北方，一封封地寄过来。每次读完信，我都把它夹在枕边的圣经里。

这是我喜欢的一本书，每晚我都要翻开来读上一段密密麻麻的繁体字才会睡着。林的信纸一直是有点微微发黄的很柔软的那种。他用很长的篇幅告诉我他的单亲家庭和他在童年阴影里成长起来的经历。

我记得你的眼睛。我感觉你的灵魂会像风一样，从我的指间滑走。但我还是一次次，惶恐不安地伸出我的手。语句在林的信里像花一样盛开。我一遍遍地阅读着它们，体会内心如潮水翻涌无声的感动。

他打来电话，我正在电脑上赶写稿子，忙得天昏地暗，一边还放着很吵的音乐。

你在开舞会吗？他说。

没有，我很忙。

想请你听音乐会。

我不喜欢听那种一本正经的东西。我喜欢这种。

我把话筒放到音箱边，想着他肯定会吓一跳，忍不住笑了。

果然他在那里说，你真是个小孩子。

有空我打给你，好吗？我说。

好。

我感觉到他的耐心十足，可是我对他并无印象。很长的一段日子里，我过着异常平静的生活。上班对着电脑工作，下班对着电脑写稿。一份电台的兼职做得很辛苦，每天都要给节目拿出一沓稿件。没有任何时间再空出来，认识男孩，和他们约会。喜欢的休息就是拉严窗帘，在房间里睡得不省人事。渐渐地，丧失了语言。

和一个陌生的男人一起听音乐会，不停地找话题，对他微笑，或者做个好听众。不管如何，是一件让我感觉疲惫的事情。我记得他的手轻轻触到我的脸的感觉，他说，什么都不要想。我只不过曾在这个陌生男人面前流下泪来。轻易地，在一个下雨的夜晚。

如果没有了眼泪，心是一面干涸的湖。

记忆中一场大雪。大朵大朵雪花在天空中飘落。两个女孩趴在窗台上，屏住呼吸。净说，不知道以后我们会如何。那时她们十六岁，即将考高中。净说，不管如何，我们都不要分开。想想看，等我们三十岁的时候，一起在公园里晒太阳，织毛衣，我们的小孩在草地上玩，就和我们一样好。

窗外操场，整个被纷扬的大雪覆盖。

松撑了一把伞，固执地等在楼道口。

净皱着眉看了看他，我们从另一个出口下去。两个女孩悄悄地溜到楼下，一出校门就笑着尖叫着向大雪奔去。净在大雪里脸冻得通红，她突然紧紧地抱住她，答应我，永远和我在一起。

我想象在他的面前再次无声地崩溃。我要告诉他我内心所有的不舍和恐惧。阳光刺痛眼睛。诺言和深情，没有出路的潮水，一次次淹没我。让我丧失着自由，感觉窒息。现实中，我只是一个长期不接触阳光的女孩，写稿至深夜。所有的想象变成心底溃烂的伤疤。

放假回家，林来看我。我们出去散步，漫长的散步，沿着河边空阔的大路，一直走到郊外田野。夏天夜空繁星灿烂，凉风如水，空气中到处是植物的气息。我们走着，没有很多的话，也不看彼此。在稻田边的田埂上，坐下来休息。夜色像一张沉睡的脸。

林说，我一直都想有一天能够有一个农场。我们在一起，你生很多小孩。每天早上围坐在餐桌边，等着我煮牛奶给他们喝。

我听他说，看他把我的手轻轻地握住，然后一个手指一个手指亲吻过去。那是我们最美好的时光，我知道。发生的同时就在告别。

他的电话在深夜响起来，还不睡觉?

失眠了。

你要好好睡觉。女孩子这样对自己不好。

你干吗?

真是任性。他在电话那端轻轻地笑。这个耐心的男人，毫不理会我对他的敷衍和反复。我听说过他为他的单位拉来巨额广告的事情，对于这样一个百折不挠的男人来说，这并不是奇迹。他通常一星期打个电话给我，提醒我和他约会。坚定而又不强求的机智。

我只是想见到你，相信我。

在酒吧门口看见他，他还是第一次见到的样子。平头，锐利的眼神，烟灰色的衬衣。

他说，这里有你喜欢的音乐。他突然有点无所适从，你居然搞得我很紧张，他有点奇怪地说。没有一个女孩子会让我这样。

那是你心中有鬼。她对他说话向来毫不留情。音乐沸腾的狭小空间，每一张忽明忽暗的脸，好像都是一张面具，隐藏着残缺的灵魂来寻欢作乐。只有音乐是真实的。潮水一样涌动，把人思想淹没。她要苏打水，坐在吧台边，她等待喜欢的曲子。他看着她，她旁若无人的样子，不和他说话就不发一言。

你是不是喜欢我？她转过脸对他说，眼睛看着他的尴尬。

觉得你很特别，他说，觉得我们需要互相了解。

是吗？她笑着。其实我是个特别无聊的人，你一旦了解就会索然寡味。

那让我试试。

不记得是否曾幻想过喜欢的男人。他的头发，他的眼睛，他的气息，他的声音。我只知道如果他在，会在人群里与他相认。在命运的旷野里，也许没有彼此的线索，只是随风而流离失所，像飘零的种子。但是我的手里还有大把的时间。在变得越来越老之前，在死去之前。等着与他的相约。等着他如约而来。

我不知道一个人的一生可以有多少个十年给另一个人。林毕业回来，我去火车站接他。我等在夜色中，看着从出口涌出来的人群，感觉内心惘然。那个蔷薇花架下的少年，繁星灿烂的夏天夜晚，以及夹在圣经中的发黄信纸，维系了我们整整十年的想象。回想它，好像是一夜空幻的烟花，无声地熄灭。

我想，我也许从没有爱过他。

我不知道爱是什么。

就在那个夜晚，我意识到，我们之间没有坚实可靠的东西。我们向对方惶恐不安地伸出了手，灵魂如风，却从指间无声地滑过。

他送她回家，坚持送她到门口。

那就进来坐坐吧，她打开门。满地的书，杂志，英文报纸，CD。一整个书架的书一直堆到屋顶。房间里的一面墙摆满暗色的木质相框，里面是放大的黑白照片。她在福建武夷拍的山谷的晨雾，海面上寂静的日出，乡间田野上的有鸟群飞过的天空。还有她自己，坐在铁轨边的碎石子上，靠在咖啡店的玻璃橱窗边，窗外是暮色里的拥挤人群，在海边的单薄背影，风吹起她的发梢和布裙。

他认真地一张一张看她的照片。去过很多地方吗?

是，每年都出去。

她赤着脚坐在一堆报纸上，一边翻着CD。

听音乐吗?

他看着她若无其事的样子。他记得她的眼泪。那个雨天，她的脸贴在他的背上，雨水是冷的，而她的泪是温暖的。

你应该过正常的生活。他说。嫁给我，我会让你过正常的生活。我不会再让你写这些稿子，只让你每天看看菜谱。给我做饭，洗衣服。每天早点睡觉，不许你失眠。

她没有笑。她看着他把他的手伸过来，轻轻地放在她的头发上，像抚摸一朵花一样小心。

那天你把那枝枯萎的玫瑰给我看，你说它已经等了太久。可是你遇见了我。

诺言，有谁能够相信诺言。刚毕业的那段日子是无比压抑的。想辞职，想离开这个城市，和父母争执，突然对生活失望。请假半个月，去了向往已久的华山。爬上海拔两千多米的华山绝顶时，天已黄昏。山顶上还有一个男孩子，拿着照相机在拍夕阳落霞下的起伏山峦。

我们都一样背着庞大的登山包。山顶上也就我们两人。天空已变成灰紫色，一只黑色的鹰不停地在我们的脚下盘旋。

喝点酒吗？他从包里拿出两罐啤酒，庆祝一下我们来到了华山。

坐在山顶岩石上，我们喝酒，沉默观看夕阳，直至群山沉寂，夜雾升起。不记得说过更多的话。分别时，他才突然说，在美好的东西面前，你的感觉是什么？

我说，是痛。

为什么？

痛过才会记得。

如果不痛呢？

那就只能遗忘。

在咸阳机场，空荡荡的候机厅里，我把明信片摊在膝盖上，给林写了最后一封信。林，我要走了。把明信片投进邮筒，我听见心轻轻下坠。压抑了整个青春期的幻想，华丽的幻想，原是这样一场生命里的不可承受之轻。我再一次选择了等待。

大三，和净有了分别四年以后的第一次见面。初中毕业后，净第一次来她的学校看她。她在重点高中，净上的是职高。在操场边的草丛里，净告诉她，她的父母在闹离婚，家里出了变故。松每天都到校门口来等我，他每天都来。阳光倾泻在净的脸上，好像一片淡淡的阴影。

就在那一刻，她们发现了彼此的沉默。也许都等着对方说些什么，诺言也好安慰也好，但骄傲和猜疑，像一条裂缝，无声地横亘在那里。生活已经不同。她们都是倔强和没有安全感的孩子。

在下雨的街头，净在人潮后面向她张望。湿漉漉的短发，抹了很红的唇膏。漂亮的心高气傲的女孩。颠沛流离的生活，父母分居，找不到工作。和松同居了三年，突然发现松在和另一个女孩来往。净微笑地跑向她，她的手柔软地放在安的手心里，就像以前。

我们淋淋雨好吗？净雀跃的样子。可是这是道别。她们都知道。净已决定去北方。

我打了他一耳光，是狠狠地打。就当着那女孩的面。那时我就知道我们肯定是完了。我跑下楼，发现听不到自己的心跳。没有心跳。一片空白。

他高考落榜的那一天，下好大的雨。我在房间里感觉他在门外，打开门，他果然淋得一身湿透。那时我过得很不好，父母彻夜争吵，我的工作不尽如人意，只有他在我的身边。我想我是在那一刻决定和他在一起。我一直以为自己不会爱上他。但是，我告诉自己，这就是命运推给我的那个男人了。没有任何幻想的余地。生活就是这样沉重和现实。我第一次让他吻了我。在大雨中，我们两个都哭了。他说，我会一辈子对你好。我的一生只希望有你。他把我的嘴唇都咬出血来。

父母离婚后，我们同居。他去炒股票，日子一直不安定。我去医院动手术，很希望他对我说结婚，把孩子生下来。可是，他说他得先找到工作。我不知道，他其实已经厌倦这份生活了。在手术台上，痛得以为自己会死掉。窗子是打开的，看见一小片淡蓝的天空。我问我自己，这就是我要的爱情吗？那双男人的手，是温暖的，也是残酷的。他如何能让我堕入这样的耻辱和痛苦里面。

净看着安，她的眼睛睁得很大。但是，空洞得没有了一滴眼泪。我一直幻想你会来看我。只有你才能给我那种干净的，相知相惜的感情。还记得那时我们挤在你的床上，彻夜不眠地聊天。醒过来你一直握着我的手。我们分手那段时间，我一直幻想你能来看我。可是我知道我们都不会这样做。我们走不了一生这么长。

在街头，我和净告别。

我说，我先走好吗？在所有的分离中，我都是那个先走的人。在别人离开之前先离开他，这是保护自己唯一的方式。

净说，好。她站在人群中，穿着一条人造纤维的劣质裙子，孤立无援。我轻轻放开了她的手，转过身去。净冰凉柔软的手指仓促地脱离我的手心，就像一只濒死的蝴蝶，无声地飞离。

他的手，小心翼翼地放在我的头发上。我忽然想问他，你真的懂得珍惜一个还没有老去的女孩吗？她的梦想，她的疼痛，她所有的等待和悲凉。女人的生命如花，要死在采折她的手心里，才是幸福。可是我们都还那么年轻。还在孤单的守望中坚持。

我对林说，你爱她吗？那是在市区中心的一个广场里，林给了我他的结婚请帖。是他单位里的一个女孩，执意地喜欢他，甚至和原来的男友分手。那时距离我写信给他的日子刚好一个月。林在长久的沉默后，选择了仓促的婚姻。

时间久了，终会爱的吧。林轻声地说。我只是累了，想休息。我们在来往的人群里伫立。一些隐约的记忆在风中破碎。夏天夜晚的凉风，空气中潮湿的植物的气息，满天星光。还有蔷薇花架下那个肩上落满粉白花瓣的男孩。我恍然伸出手去，却看到手上的泪水，林的眼泪一滴一滴地打在我的手指上。

在林的婚礼上，我看着他给那个女孩戴上戒指，转过脸去亲吻她。我的心里寂静。我们告别。我在人群中走着，繁华大街上的霓虹开始一处处地闪耀起来。在商店的玻璃橱窗上，我看见我自己。

我的生活还是要继续。日复一日上班，回家后对着电脑给电台写无聊的稿子，一边放着喧闹的摇滚音乐。偶尔会出去旅行，邂逅一个可以在山顶一起喝酒看夕阳的陌生人。或者和一个对我的任性会有无尽耐心的男人约会。或者嫁给他，给他做饭洗衣服，过完平淡的一生。我渐渐明白我的等待只是一场无声的溃烂。但是一切继续。

学生会的会议上，我坐在角落里，看见窗外的操场渐渐被暮色弥漫。林的声音，在空空荡荡的礼堂里回响，伴随着女孩宛转的调侃和清脆的笑声。人群中，林是英俊而神情自若的。他微笑着应对，机智温和，有着优等生的矜持。我远远看着他，心里那种温柔的惆怅的东西，像潮水一样轻轻涌动。可是我不动声色。

林突然回过头来问我，安，你有什么意见吗？我几乎是狼狈地摇了摇我的头，在众人的注目下。我习惯了在他的锋芒毕露下保持沉默。从小我就是喜欢在一边察言观色的女孩。可是我想跑到操场上去，寂静空阔的大操场，暮色天空中有鸟群飞过。我想再次奋力奔跑，风声和心跳让人感觉窒息。在晕眩般的痛苦和快乐中，感觉和鸟一样，在风中疾飞。

一次，又一次。

下坠

她在大街扶手栏上已坐了很久，盯着那幢高层大厦的玻璃门。直到眼睛开始发花。

初秋阳光像一只柔软的手抚摸在脸上，雨季刚刚离开这个城市，空气仍然潮湿。

她听到树叶上残留的雨滴打在皮肤上的声音，饥饿使她的感觉异常敏锐，也许眼睛都会灼灼发亮。一切应该正常。她相信她的运气会比乔好。

乔最后一天离开是去丽都。她还在家里休养。乔对着镜子仔细地涂完黑紫色的口红。

她的嘴唇就像一片饱含毒汁的花瓣。乔说，老板打电话来，今天晚上会有台巴子来看跳舞。

我明天回来买柳橙给你，然后再去看看医生。

她走后的房间，留下一地肮脏的化妆棉，一个月后散发出腐烂气息。她等了乔整整一个月，终于确信乔已经消失。

她们是在机场认识的。乔那天穿黑色的T恤和旧旧的牛仔裤，戴豹纹边框的太阳眼镜。素面朝天，像个独自旅行的女大学生。像所有跳艳舞谋生的女孩，在白天她们总是冷漠收敛的样子，看人都懒得抬起眼睛。她不知道为什么乔会注意她。乔执意问她是否去上海。她的口袋里除了机票已经一无所有。

她说，她去上海找工作。海南在夏天太热了。

她们坐在空荡荡的候机厅里，喝冰冻咖啡。夜航的飞机在天空中闪烁出亮光。乔的手指轻轻地抚摸她的手臂，她转过脸去看乔。乔注视着她的嘴唇，手指像蛇一样冰冷地游移。

乔说，你跟我走。她逼近安的脸，你是否想清楚。乔的手贴着安的皮肤开始灼热。她闻到乔呼吸中的腐败的芳香。然后看到乔的脸上，左眼角下面一颗很大的褐色眼泪痣。

她们在浦东租了一间房子。乔去丽都跳舞，每天晚上出去，早晨回来。整个白天乔几乎都是在房间里睡觉。快下午的时候，才起来吃点东西，或者出去逛逛街。安去丽都看过乔的演出。她穿着鲜红的漆皮舞衣，在铁笼子里像一只妖艳的野兽。男人冷漠的视线在黑暗中闪烁。在他们的眼里，乔仅仅是一个性别的象征。安局促地站了一会儿。浑浊闷热的空气终于让她无法呼吸。

那天早上她不愿意让乔碰触她的身体，乔伸手就给了她一个重重的巴掌，非常生气。

歇斯底里地咒骂她，把盛着冷水的杯子砸到她的身上。披散着长发，泪流满面，身上只穿着一条薄薄的睡裙。终于她平静下来。她说，你不了解，有时我们是无能为力的。她抱住一言不发的她。亲吻她的手指。你可以选择我或选择另外一个男人，但你无法选择生活。

这样的争吵常常爆发。她已习惯。乔不喜欢男人，乔的内分泌失调，脾气暴躁。

乔最喜欢做的事情是白天睡醒的时候，在房间阴暗的光线里亲吻她的肌肤。一寸一寸，温柔缠绵。她说，只有女人的身体才有清香。女人其实是某一类植物。

乔问她，你是否爱过男人。她说，爱过。

他应该已经结婚了。做了父亲，开始发胖。她第一次看见他，他才十四岁，是英俊明亮的少年。爱了他整整十年，终于疲倦。乔说，有没有做爱。她说，只有一个晚上。

预感到自己要离开他了，所以想要他。整个晚上不停地做爱。是他大学毕业的那个夏天，想把自己对他十年的爱恋都在一个晚上用完。没有了。

乔看着她，两个人的眼神一样空洞。

她在阳光下换了一种姿势，等待的男人还没有出现。她守候了他一个星期。整个上午，她只吃了半筒发霉的饼干。乔的消失使她又回复一贫如洗的状态。她费力地咽着口水，想去除喉咙中余留的霉菌气味，不知道那里是否长出绿色的绒毛。

走进百货公司，她的脸色因为长时间的隐匿而苍白。一个小时后走出店门，她有了一张无懈可击的脸。蔷薇般的胭脂，珊瑚色的口红，还有眼角隐约闪烁的银粉。这些都是化妆品柜台的试用装。服务良好的小姐为她进行了试妆，而她的挎包里只有几块硬币。说谢谢的时候，她在小姐的眼神里发现了某种轻蔑，但是这无法影响她的心情。在大街的人群和阳光里面，她感觉自己还是这样年轻。青春如花盛开。虽然能够温柔采摘的人已经远走。

贫穷是一种可耻。乔说过，我们应该有很多钱，如果没有爱，有钱就可以。就这样她们在人潮里起伏。她们像路边的野花，自生自灭。开了又败。二十二岁她离家出走。在轰隆作响的火车上，想着时光会如广阔的田野伸延到远方，充满神秘和传奇。命运握着手心让她猜测里面隐藏着什么。她的心情不安而振奋，不知道漂泊流离的生活从此开始，再也无法回头。

而十七岁就出来跑江湖的乔，只是淡淡地说，在你放弃的时候，你同时必须负担更多的东西，包括对你所放弃的不言后悔。

那么乔是否后悔过呢。乔最快乐的事情，是在巴黎春天里面，轻轻一挥手，就买下一双几千块的细带子皮凉鞋，新款眼影，手工刺绣的吊带裙子。乔对殷勤的店员们从来不正眼看。走在百货公司华丽空敞的店堂里，乔的脖子显得挺拔而雅致。也许这是促使乔从湖南农村跑到繁华城市的梦想。乔接受了支撑起这个梦想的代价。所以当客人把烟头扔到她的脸上，她会蹲下去，妩媚地把它放在唇上。

醉生梦死。乔说，生活会变得像一朵柔软的棉花，让人沉沦，没有尖锐的痛苦。只要不揭穿真相。

下午五点，大厦的玻璃门流动的人量开始增加。那个男人出现的时候，她刚好在阳光下眯起眼睛。虽然中年的身材开始有些松懈，一张脸还是敏锐。他坐进了一辆黑色的本田，把挡风窗摇了下来，他看到了她，他的目光停留在她的脸上。

她跳下扶栏，慢慢地向他走过去。脚上穿的细高跟凉鞋是乔留下来的。走路时感觉到身体的摆动，在脸上停留的男人的视线也在晃动。走到他的车窗边，两只手搭在车顶上，俯下脸很近地看他。她听到他的呼吸。在他的眼睛里，她看到自己艳丽倾斜的容颜。男人看着她，然后他说，上车吧。

她一度想离开乔。她喜欢男人比女人多，她和乔不一样。生活时而奢侈，时而拮据，还有乔的喜怒无常。她感觉到乔对她的迷恋是一片冒着温热湿气的沼泽要把她吞噬，芳香而糜烂，温情而龌龊。

她在上海找的第一份工作是在一个空运公司做业务。打单子，联系客户。虽然工作很累，但是让她呼吸到正常生活的空气。白天出没的人和在夜晚出没的人是不同的。夜色中的人更像动物。

林是她在进出口公司的一个客户。第一次见到他的时候，是在他的办公室里。二十五层的大厦上面，落地玻璃窗外是晴朗天空。林穿着一件白色的衬衣，挽着袖口。他的眼睛让她想起她爱过的那个十四岁少年，清澈温和，眼神像一块深蓝色丝绒。她看到他觉得时光如潮水退却，温柔酸楚的心还在那里，轻轻地呼吸。

林请她喝咖啡。黄昏的咖啡店外面是暮色和雨雾，店堂里有飘浮的音乐和烟草味道，还有浓郁的咖啡香，让人恍然。林给她点了核桃夹心泥和香草杏仁咖啡，他的眼睛一直注视着她。墙上有一幅让客人留言的小板。Message Exchange，上面插满各种各样的小纸条。中文，法文，英文，德文。林把他的香烟空盒子撕下一条来，在上面用圆珠笔写了一行字，也插在了上面。他抽的是韩国的烟，那个牌子很奇怪，叫THIS。纯白的底色上有蓝色和紫色的图案，好像随手抹上的颜料。

从咖啡店出来的时候，雨停了。

林的亲吻像蝴蝶的翅膀在她的唇间停留。她轻轻闭上眼睛，问自己，是否可以再爱一次。

男人的车停在Grace门前。那是一家来自欧洲的服饰店铺。男人说，进去换套衣服。

店里几乎没有人，只有幽暗的香水味道。他给她挑了一条暗红的上面有大朵碎花的雪纺裙子，里面有黑色衬裙。一双黑色缎子凉鞋，系带上有小粒珍珠。他用信用卡付掉了她无法预计的数字。他说，我只喜欢给漂亮的女孩买衣服，这条裙子的颜色适合你的胭脂。他说着一口台湾腔调国语。

她在试衣镜里看着焕然一新的自己。她的挎包里只有几块硬币，双手空空什么也没有，而这个男人可以挥金如土，给她买一套行头就好像随便抛给鸽子几块碎面包屑。

再次回到车里，男人漫不经心地问她，你喜欢吃什么。她说，随便。那么我们去凯悦吃泰国菜，听说那里有美食展。他开着车，不动声色地，他的手放在了她的腿上。你很瘦，但是我喜欢你的眼神。他专注地看着前面的路况，似乎是不经意的，他说，你喜欢什么样的体位，上面还是后面。

她轻轻咬住嘴唇，听到牙齿发出咯咯的声音。她害怕一发出声音，就会扑到窗外。

那是春天，她在上海的恋情像一场花期。她想她用所有的钱买了一张到上海的飞机票是宿命的安排，这个上海男人把她从夜色中拉了出来。

乔很快发现她的恋情。乔说，你不要做梦了。这个男人负担不起你的过去和未来，他只能给你一段短暂的现在。她说，我要这段现在，比一无所有好。乔暴怒地撕扯她的头发，打她耳光，吼叫着命令她滚出这间房子。

她当夜就坐上从浦东开往浦西的公车，手里只有一个黑色的挎包。就好像她从海南到上海，在机场和乔相遇的时候。公车摇摇晃晃地在夜色中前行，路灯光一闪而过，她看见车窗玻璃上自己的脸却焕发着熠熠光彩，似乎是一次新生。林的视线是一块深蓝丝绒，温柔厚重地把她包裹。

他们一起过了三个月，生活开始渐渐平淡，现实的岩石却浮出海面。她的心里一直有隐约预感。有时半夜醒过来，看着身边的这个男人，抚摸着他的头发轻轻掉泪。

林是属于另一个阶层的男人。她渐渐明白，爱情在某个瞬间里可以是一场自由的激情。而在生活的漫长范围里，它受的约束却如此深重。

终于林吞吐着对她说，他无法和她结婚。因为他的父母听了他的要求后，去调查了她的情况，最后表示坚决反对。林说，对不起，他埋下头，温暖的泪水一滴一滴跌碎在她的手背上。

她说，我理解，我是身份不明的外地女孩，而且我和一个跳艳舞的女孩同居很长时间。我一无所有。

她看着他，她知道他依然是爱她的。如果她骂他，要挟他，甚至哀求他，他都会考虑安排她的生活。甚至会依然和她在一起。但她已经疲倦，她什么都不想再说。她只是问他，如果我走了，你会如何生活。他说，我会很快结婚，然后用一生的时间来遗忘你。

两个月后，他结婚了。新娘是一个小学老师，土生土长的上海女孩。他结婚的那天，天下着清凉的雨丝。她跑到教堂的时候，他们刚好完成仪式，驱车前往酒店。新娘的一角洁白的婚纱夹在车门外，在风中轻轻地飘动。她没有看见他。她在樱花树下站了很久。一片一片粉色的细小花瓣在雨水里枯萎。她用双臂紧紧地拥抱着自己，可是依然觉得冷。

男人带着她走进电梯。他订的房间在二十七层。吃饭的时候，他的眼睛一直注视着她，让她想起林在咖啡店里的眼神。如果那个男人爱你，他的眼睛里就有疼惜。如果不爱，就只有欲望。她吃了很多，整整一天的饥饿得到缓解。她的脸上应该有了血色，而不用再靠胭脂的掩饰。

男人说，我很喜欢你，可以给你租公寓，每个月再给你生活费。或者你可以来我的公司上班。她似笑非笑地看着他，没有说话。突然她想到，这个神情是否很像乔。乔在面对男人的时候，常常会这样，不屑而神秘的样子。

男人说，为什么不扔掉你的挎包，我可以重新给你买一个。Gucci的喜欢吗。

她说，这个包是我从家里跑出来以后唯一没有离开我的东西。

电梯微微震动地上升。男人轻轻地亲吻她的脖子，他的呼吸里有烟草和酒精的味道。他说，我有预感我们的身体会很适合，越是看起来沉静的女孩越会放纵。我喜欢。

她回到浦东的暂住房时是凌晨三点。乔还没有下班回来。她不知道乔什么时候回来。坐在门口恍惚地就睡着了。然后她闻到熟悉的香水味道，乔的长发碰触到她的脸颊。看过去疲惫不堪的乔脸上的浓妆还没有洗掉。

乔说，我知道你肯定会再回来，但没想到你这么快就回来了。那个男人比我想象中的还要脆弱。

她安静地看着乔，没有说话。乔却哭了，把她拥抱在自己的怀里，脸紧紧地和她贴在一起。我会和你在一起，男人都是骗子，我们才能够相爱。她麻木地被乔摆布着。眼睛一片干涸。

乔陪她去医院做了手术。乔一直不停地咒骂着，那个臭男人，便宜了他。她奇怪自己的心情，她真的一点也没有恨过他。心里只有淡淡的怜惜。是对他，对自己，还是对这段感情。然后她又看到路边那个熟悉的咖啡店。她叫出租车停下来。她忍不住又走进了那里。留言板上的小纸条还是密密麻麻。她很轻易地就找到了那张香烟盒子做的纸条。她轻轻地把它打开来。

她看到林淳朴的字迹。在那里写着短短的一行字。我爱这个坐在我对面的女孩。一九九九年三月十二日。林。

她微笑着看着它。物是人非，时光再次如潮水退却，她的绝望却还是一样。她终于可以确信他们之间真的是有过一场爱情。就在那一天，仅仅一瞬间。她把纸条折起来又放了回去。

走出咖啡店的时候，她回过头去。那个靠窗的位置是空荡荡的。没有那个男人。不会再有。

穿过铺着厚厚米色地毯的走廊，男人用房卡打开了房间。他没有开灯，却把窗户玻璃全部推开。清凉的高空夜风猛烈地席卷进来。男人说，暗淡光线下看漂亮的女孩，会更有味道。他说，现在过来把我的衣服脱掉。她脱掉他的衣服，中年男人的身体散发某种陈旧的气息。她的手指摸在上面，就好像陷入一片空洞的沙土。她听到他浊重的呼吸，她看着他慢慢仰躺在床上，他闭上眼睛，露出沉迷的神情。

宝贝，继续。他轻声说。她没有脱掉裙子，坐在他的身上，开始舔吮他的耳朵。她感觉到他的心脏，有力地跳动着。是强盛的生命力，不肯对时间妥协。她是在和一个陌生的男人做爱，她的心这时才陡生恨意。

她的手慢慢伸到床下，摸到了打开的挎包里，那把冰冷的尖刀。

乔说，安，等我再赚点钱，我们离开上海，去北方。

在房间里，乔披散着长发，像一片轻盈的羽毛飘浮在夜色里。乔的亲吻和抚摸洒落在她的肌肤上，她躺在那里，看着黑暗把她一点一点地淹没。

如果我们老了呢，我们会漂流在哪里。她轻声地问。

不要想这么远的事情，我们没有这么多时间可以把握，也许下一刻就会死亡。乔微笑着，把脸埋在她的胸口。你的心跳，告诉我生命的无常。

她感觉到自己身体里面血液的流动已经开始缓慢。也许真的该离开上海了。这里不是她们的家。她们是风中飘零的种子，已经腐烂的种子，落在任何一个地方都不会生长。

乔说，你是否害怕我也会离开你，不会。我们以后可以隐居在一个无人知晓的小镇，开一个小店铺，相爱，过一辈子。她紧紧地抓住乔的手指。她终于看不到任何光线。

刀扎进男人身体的时候，她听到肌肤分裂的脆响。温热液体四处飞溅。男人号叫着从床上仰起头，一手把她推倒在床下。她知道自己的方向扎偏了。不是心脏，而是在左肩下侧。

她没有给自己任何犹豫，拿着刀再次扑向受惊的男人。她想，他该知道什么是疼痛了。

她用了一个月的时间，几乎花掉了乔和她自己留下的所有积蓄，才查明这起被隐匿的谋杀。在乔失踪的那一天。这个男人把乔请到他的包厢。他喝醉了，想带乔出去，乔不愿意，他敲碎whiskey的酒瓶扎进了乔的脖子。

这是发生在包厢里的事件。在这个城市里他太有钱了。乔是一个二十三岁跳艳舞的外地女孩。乔就像一只昆虫一样，消失在血腥的夜里。可是她等着乔，等着她生命中最后一句诺言，她已经别无选择。

满手的鲜血使她抓不稳手里的刀柄。就在她靠近有利位置的时候，她的刀因为用力过猛滑落在地上。男人扭住了她的手臂，因为恐惧他的手指冰凉地扣在她的肌肉里面。他一直把她推到窗口那里。她的上身往窗外仰了出去，满头长发悬在风中高高地飘扬。

你想杀我吗，男人的脸俯向她，他肩上的血液滴落在她的脸上，黏稠而清甜。

他的笑容在夜色中显得诡异，他轻声地说，宝贝，你不知道你的下一刻会发生什么。我们谁都不知道。

突然之间，她的身体在推动之下，钝重而飘忽地抛出了窗外。

这是她生命里一次快乐的下坠。在漆黑夜色中看见下面的灿烂霓虹和涌动人群，很像她童年时沉溺过的万花筒，摇一摇，就会有无法预料的安排出现。她从小就是个好奇的孩子。她的暗红色雪纺裙子在急速烈风中像花一样盛开，赤裸双足感觉到露水的清凉。有一刻她的手试图抓住什么东西，但在无声滑落中，她终于接受了手里的空虚。

有些时光是值得回想的。十四岁少年明亮的眼神。春天的气息。甜蜜的亲吻。肌肤的温度和眼泪的酸楚。教堂外面的樱花。在风中飘动的洁白婚纱。一个女孩独自坐在夜行的火车上。

她轻轻在黑暗扑过来之前闭上了眼睛。

午夜飞行

玛莉莲是位于西区的一个小酒吧。威士忌苏打和Disco是它的招牌。他手里夹着烟走向她的时候，她孤立无援地站在角落里。一个拿着大玻璃罐啤酒的男人，突然撞着了她。男人没有任何表情地走过去了，没有说抱歉。而她似乎不受任何惊扰的安静，那种沉着引起他的兴趣。

你从不到前面来跳舞，他说。他看到她的发鬓插一朵酒红色的小雏菊。他已经很久没有看到头戴鲜花的女孩了。

我不喜欢光线，它让我感觉会遁形。她说。

舞池中的情人们拥抱在一起。空气中飘浮灰尘和情欲的味道。这里有很多夜间出现的动物，身份不明，神情暧昧。但是她似乎并不是来玩的人。

能请你喝杯酒吗。

可以，威士忌苏打。

女孩仰起头的时候，露出脖子性感的线条。她把杯子放在吧台上，手指微微地蜷缩着。

他抽了一口烟，眯起眼睛注视她。他说，你来这里做什么。

她说，等人。等一个约好的人。

他一直没有来吗。

是。他一直没有来。

他点点头。他突然之间把手放在了她的脖子上，那一块肌肤像丝缎一样。他用拇指和食指的指尖揉搓着它。

那个我等的男人，他叫我Angelene。她说。

凌晨四点左右，他骑着破旧的单车回到租来的房间，洗完澡然后开了一瓶酒。

房间很简陋。他来到这个南方城市不久，而且很快就会离开。他想着她的名字，拿出旅行包翻出一盘CD。那是他在火车站附近买来的打孔带子。P. J. Harvey，一个黑发女子，第一首歌的名字就是“Angelene”。

微微沙哑的声音飘浮，他赤裸地趴倒在床上，一边喝酒，一边用一根铁丝扎进自己的手腕。很快，他就在无法控制的颤抖中发出沉闷嘶叫。一滴一滴，黏稠的液体融合在一起。在从窗缝间漏入的阳光里，他看到地上的CD凝固着几滴褐色的血。

跟我走，他说。我有一张唱片送给你，在家里。

女孩在角落里等了他很久，酒吧里的人不多了。他们一起走到门外。大街上空荡荡的，只有梧桐的枯叶在夜风中回旋。天气越来越寒冷。

你该穿外套，他说。他把她的身体搂在自己的夹克里。

我怕他会认不出我，最后一次告别的时候，我穿着白裙子。女孩说。她的眼睛很明亮。描着一根细细的眼线，是幽暗的土耳其蓝。已经晕染开来。

他会来吗。

我不知道。

他们沿着荒凉的马路走到郊外。等车吧，女孩说。她微笑地仰起头。星光下，他看清她左眼角下面褐色的泪痣，他俯下脸亲吻那颗被凝固的眼泪。他说，我好像在什么地方曾经爱过你，他闻到她肌肤上散发出来的冰凉的尘土味道。这么晚还会有车吗。

有，夜间巴士能随时带我们去想去的地方。女孩轻声地说。

夜色中大巴士缓缓开过来，没有发出任何声音。他跟着她上了车，巴士又无声地开动了。座位上零散地坐着几个人。她说，我们去上面一层，能看到星光。微微摇晃的车厢里，他感觉到很冷。

女孩说，你在发抖。

他说，有点冷。他的手抚摸她的身体。他喜欢她冰凉柔软的肌肤，因为有欲望的身体会有灼热的温度，而热的气息会让他想到血。他忍不住就会想象血从肌肉中喷涌而出的景象，那会让他恶心。

女孩说，你想和我做爱对吗。

他沉默地看着她，他说，是。

可是我要你用东西和我交换。

他说，可以，你要什么。

女孩轻声地说，我要你心里的往事。

她不愿意开灯。在他简陋的阁楼里，她的身体融化成一片汹涌而温柔的潮水。那片潮水把他吞没。终于结束了。他像一片叶子一样，飘浮在虚无中。

她说，你的家在哪里。

在江西的一个小镇，每年都有水灾和死于血吸虫病的人。

你憎恨贫穷吗。

是，我憎恨贫穷，因为它无法摆脱。

为什么出来了。

因为父母死了，他仰躺在床上，看着女孩赤裸的身体。她抚摸着他，她说，你的肚子上有个伤疤。

他说，别人捅的。

你是一个有伤疤的男人，她说，这里面还有血的味道。她低下头吸吮他的伤口。

中午他醒来，女孩已消失不见。她带走了他的唱片。枕头边有她一根长长的发丝，放在阳光下看的时候，突然断了。

他来到上海，感觉随时面临末日。每一个夜晚，都看到这个男人，他的脸俯向放在地上的木盆，肥胖的脖子在他的手心里抽搐。他让这个男人听血滴在盆里的声音。那是这个男人的血。脖子上的黑洞，在抽搐时涌出一股又一股冒着热气的血液。是这样鲜活的芳香的液体。木盆里的血凝固成了黑色。男人的皮肤渐渐褪成了苍白，像一层撕下来的薄纸。男人的血终于流干了。

他身体的每一根脉管都在汹涌着快乐。他忍不住在颤抖中发出呻吟。在此后的每一个夜晚，只有闻着血腥的甜腻气息他才能入睡。可是他觉得自己身体里面的血慢慢地干涸。

夜晚八点，他骑着破单车去酒吧上班。半路他在一个杂货铺买了一包烟，还有消毒药水和胶布。在稍微的迟疑之后，他示意店主给他一盒双面刀片。

他用一张扔在柜台上的旧报纸包住自己买的东西。报纸上有触目惊心的标题，大意是发现被肢解的男尸，找不到头颅，正在追查疑凶之类。城市每一天都有可能爆发罪恶。死亡的阴影无处不在。杀和被杀的人，有他们人性的是非标准。但如果由社会来衡量，它就立即变得简单粗糙。没有人能预料和看透隐藏着的仇恨。他把那张报纸揉成一团，丢进了车筐。

女孩远远地出现在吧台边。他低着头不去看她。在某个瞬间，他们的身体缠绵地交融。可是这一刻，他只把她当成人群中的陌生路人。女孩在角落里散发着蓝光，没有任何男人和她搭讪。她的旧裙和素脸，似乎引不起旁人的兴趣。他腹部的伤口突然疼痛起来。她一直等到他下班。他发现她手里拿着他的唱片。他说，为什么不放起来。

她说，没地方放，我拿着挺好。她看过去更加陈旧了。裙子，皮肤，气味，甚至土耳其蓝的眼线，都模糊不清。他看到她脖子上紫红的血斑，是他在激情的瞬间吸吮出来的。

心情不好吗，她说。

不要再让我看到你，他沉闷地说，我不是你等的那个人。

她微笑，我听了唱片了，是那个男人给我放过的。他以前就在这里当DJ。凌晨，当他快下班，这是他放的最后一首歌。

Rose is my colour, and white
Pretty mouth, and green my eyes
I see men come and go
But there will be one who will collect my soul and come to me

她轻轻地闭上眼睛哼唱着。然后伸开手臂，独自在空旷的酒吧里转圈。没有舞伴。她的舞伴一直没来。

他们再次搭上午夜的巴士。还是坐在空荡荡的上层车厢。他闻到寒风里面泥土的气息，巴士正缓慢地穿越旷野，天空中有冰凉星光。女孩说，在我遇见他之前，我以为自己的爱情是一个夭折的孩子，来不及长大就死亡了。他从北方来到这里，我知道他不属于这里，可是我爱上了他。

她把脸埋入他的怀里。我请求他带我走，带到很远很远的地方，我不怕吃苦，只要他拥抱着我。哪怕只有一个夜晚也好。

他冷冷地说，他不会带你走的。他不会想让爱情束缚自己的自由。

她说，是。他喜欢自由。但他对我许下诺言。

他说，是在做爱之前许下的诺言吧。男人都这样。

她说，我对他说过，不需要许诺。因为我不期待，但他要给我。既然许下诺言，我就一定要他践行。

那座废弃的公寓修建了大半而后被废弃，伫立在荒野中。远远看过去，像一艘抛锚的船。

他跟着她走到楼梯下面。浓密的杂草里开着大片的雏菊，酒红的雏菊，是她黑发上的那一朵，散发出刺鼻的清香。

他们踏上台阶。走到楼道的拐角处，他把她推倒在墙上。他说再让我看见你，我就杀了你。然后他粗暴地亲吻了她。他听到楼道外面呼啸的风声。生命无尽的孤寂就像一片野地，他说，我不爱你。

走到楼顶，他拿出烟来抽。他抬起头看不到星光，夜空是漆黑的。

她轻轻地说，所有的星已经都坠入了大海。在他离开我的那一个瞬间。

他说，他许诺要带你走。然后他走掉了。

她说，他想去另一个城市。他说他对上海厌倦了。

他说，你无能为力吗。

她说，不。我有。

来，过来。她轻声唤他。他这时发现自己和她一起站在了楼顶的边缘。下面是深不可测的黑暗。风把他吹得颤抖。你可以试试飞行，像一只鸟。她说，有一天我发现，飞行能带我脱离这里。她平伸开手臂，挺直地站立在风中。长发四处翻飞。

他说，我不需要飞行。他开始慢慢地靠后。

她笑了，你很恐惧是吗，她说，杀人的时候你恐惧吗。她说，我知道你杀过人。你的身上总是有血腥味道，你的肉体已经在仇恨中腐烂。

那一年村庄水灾严重，村里的领导却贪污了支援的物资和钱款。父亲写了一封检举信被发现了。拖进乡政府里打了三天。母亲卖了猪，倾尽所有。可是父亲回到家拖了一天就死了。

他还是个少年，逃离故乡是冬天，狂奔了一百多里山路，爬上一辆开往北方的货车。厚厚的棉袄里都是血，血从腹部流出来，冻成了硬块。

他冷冷地看着她，公理是上天注视着苍生的眼睛，它会给我们结局，是公平的。

女孩说，可是我们都没有等到是吗。

他转身向楼下走去。当他的脚踏上厚实的杂草，他看到女孩的白裙像花朵一样在空中绽开，长发高高飘起。当他在旷野中飞奔的时候，他听到她的笑声。他转过头去，看到她的身体坠落了下来。

清晨，他在街上声浪中惊醒过来，远远听到警车的呼啸在风中消失。

他下楼去买烟，听到菜场附近议论，那起全市闻名的分尸案有了线索，因为有人在郊外野地发现了头颅。

黄昏的晚报登出了彩照和报道。他看到昨天夜里巴士把他送到的那幢公寓楼。被废弃的荒楼，草地上满是野生的雏菊。日光下那是纯白色的菊花。警察在菊花丛下挖出了案发一周后出现的头颅。他的心紧紧地缩成一团。他跑到附近的图书馆去查看前几天的晚报。他看完整个案件的系列报道。在垃圾堆里发现的零散尸块，玛莉莲的DJ已失踪数天，是一个北方口音的外地年轻男子，曾和一个常出现于酒吧的女孩来往频繁。那个女孩是台商包下来的金丝雀。

报上登出那个女孩的照片。他把报纸铺平在桌上，一动不动地看着，看到女孩身上圆领无袖的白裙子和她的土耳其蓝眼线。

他来到公安局处理案件的科室，他说，我看到过那个女孩。接待他的是个年轻的男人，男人微笑着看他，什么时候看到的，在哪里。

前几天晚上都看到，在玛莉莲酒吧。

男人点点头，他说，我们曾经在报上登出公告，凡提供有效线索的人可以领到报酬。所以一直不断地有人来。但是已经不需要了。

他说，为什么。

男人说，因为我们七天以前已找到了她。

他说，我可以跟她说话吗，我昨天还和她在一起。

男人再次意味深长地微笑，他说，本来是不必要让你看的。但我想让你知道你应该做一件事情。

男人把他领到地下室。男人推开一扇大铁门，里面是寒气逼人的停尸房。男人说，她在三号尸床。他慢慢地走过去，停在阴暗的寒气里，撩开铺在上面的布。他看到了她素白的脸，旧的皱丝裙子，上面都是血迹。

男人说，你现在知道应该做什么了，去医院看看精神病科。我们在郊外的荒楼里发现她，她在那里隐匿了很久，也许因为饥饿，爬上楼顶跳了下来。但是没想到她把那颗头颅也带在了身边。她把它埋在白色雏菊下面，今天有人在那里收拾垃圾，发现了血迹。如果头颅是那个DJ的，案件就已经清楚。

他站在那里。他看到她脸上的表情，还有脖子上那块紫红的血斑。

晚上他收拾了行装，准备当晚就坐火车离开上海。他想再给自己一年的时间。他想去农村教书，然后就去自首，虽然那起谋杀已经过去十年。在十年里面，他每天晚上都听到那个男人滴血的声音，那个贪污并打死他父亲的男人。他是贫困少年，在权势面前无能为力，除了拿起那把杀猪刀。那时愤怒和仇恨控制了一切，可十年的流亡生涯以后，他开始相信公理。

他预感到末日即将来临。在把刀扎进男人脖子的时候，他已经走到了边缘。

在夜色中，他走到路边等车。寒冷深秋来临。他想起自己在深夜黑暗的山路上狂奔，看到满天星光，照耀着前路。可是他知道死亡的阴影已和他如影相随。他想重新开始生活。如果能够逃脱，他愿意赎罪。可是身上的血腥味道日日夜夜跟随着他不放。

空荡荡的马路上，他又看到那辆缓缓行驶过来的巴士。他没有动。他看着它在他前面停了下来。女孩在车门口出现，她的黑发上还戴着那朵酒红的雏菊，清香的鲜活的花朵。她孤单地微笑着，头发在风中飘动。

为什么你会做得这么彻底。你砍得动他的骨头吗。

他答应过我，要带我走。带我去北方，带我离开这个城市。

但是人可以随时修改自己的诺言或者收回。这并没有错。

是。现在我也会这么想。我会宽容他，让他离开。生命都是自由的。

可是你杀了他。

我无路可走。他带给我唯一的一次希望。

为什么不去自首而要跳楼。

我很饿，也很冷，我想其实我自己也可以脱离。飞行。她孩子气地笑了。我以为已经是一只鸟，可是它的方向是下坠的。

她把CD拿出来交给他，她说，带走它吧，我已经不需要歌声了。如果没有感受到幸福，也许就不会有绝望。我想让他拥抱着我，一刻都不要分开。也许他并不知道他做错了什么，我还想等到他。

他把CD放进了包里。她说，你不和我一起去吗。

他说，不。我还需要时间。他说，请你离开我。为什么你要跟随着我。

女孩轻轻地抚摸他的脸。她说，你很英俊。很像他。可是你身上到处是恐惧和腐烂的血腥味道。你已经没有时间了。

她轻声地哼着歌上了车，车门关上了，巴士无声地开向黑暗的前方。

Two–thousand miles away

He walks upon the coast

Two–thousand miles away

It lays open like a road

三天三夜的火车，把他带到了北方的一个城市。他一下火车就被扣留了。因为他的背包不断地渗出血液，发出腐烂的恶臭。检查人员打开包检查，里面有一些衣服。CD不见了，却发现大堆凝固的血块。他们发现了他假的身份证。

你真实的名字叫什么。

家乡在哪里。

身上是不是有伤疤。

抬起头来……

江西小镇在逃的谋杀罪案犯在十年后落网。

疼

在房间里，她面对他，脱掉吊带胸衣，长发浓密。雪白肌肤上，他看到她左胸上的文身，是一只蓝得发紫的蝴蝶，张着诡异而绮丽的双翅。他把手指放到上面去的时候，听到心跳，这才感觉到自己的恐惧。

他问她，疼吗。

她笑着说，它是没有血液的，所以它不会疼。

对于一个男人来说，这样的女子随处可见。周末的时候，他像任何一个出没在西区酒吧里的单身男子，坐在吧台边，解开衬衣上的领带，听听Jazz，喝一杯酒，然后在凌晨醺然地顶着寒风回家。

这也许是他生命中最寒冷的一个冬天。相爱多年的女友去了美国，这段感情只能以遗忘告终。体面繁忙的工作暂时给了他安慰。可是在这样一个夜晚，没有手提电脑，没有客户，他只是想找个年轻的女孩，和她做爱。

她过来对他推销啤酒。对他说话的时候，长长的头发就在一边流泻下来，半掩住脸颊。他记得自己的动作。他把她的头发拂过去，然后用左手的中指和食指抚摸她的嘴唇。她没有涂口红。柔软温暖的嘴唇像打开的花朵。女孩似笑非笑地看着他，眼神是淡漠的。然后她轻声地说，我凌晨两点下班。

退却的瞬间，他有一种会掉下眼泪的感觉。眼睛注满泪水。怀中丝缎一样的身体，空虚和快乐。他们是如此陌生，却带给彼此安慰。女孩拉开一角窗帘，轻轻地说，外面下雪了。

淡淡雪光照亮房间里，她下床捡起牛仔裤和衬衣。

不留下来吗，他说。不了，我要回去。女孩俯下身看他，她有一张微微苍白的妩媚的脸，脖子上印着他吸吮出来的紫红血斑。他抽出几张纸币给她。拉开门，她瘦削的身影消失。没有说再见。没有亲吻。

他在一周后再去找她，她已不在酒吧。老板说她去新开的Disco Club工作，她的名字叫Dew。夜色寒冷。他走在去往Club的路上，看到影子沉沦。

她胸口上的那只蓝紫色蝴蝶在心里扑动，热力的，带着疼痛。是否要去找她。在正常的白天里，他是德国公司的部门经理，他和她有着不同阶层的生活。这样的女子不属于他的世界。但是他无法摆脱对她的记忆。她的花瓣一样的嘴唇，她长发轻泻的样子。对于男人来说，她是简单原始的女孩，没有任何背景，没有名誉，带给他空虚和快乐。

在喧杂的人群里，他看到她在高台上放纵的身影。这是她的工作。一到晚上，她就变成一只妖冶强悍的兽。涂满亮粉的眼睛对每一个男人散发着风情。她告诉过他，她十七岁就出来跑江湖，远离家乡，投身一个个物质浮华的大城市。她需要生存。

在对着他的时候，她的眼神是淡漠的。她是聪慧的女子，看得出他对她的沉迷，所以她不屑。也许她不会爱上任何一个男人。他在她眼中，太过普通。但是他们又在一起。他们不停地做爱。没有任何言语，只是彼此折磨。皮肤上的汗水交融在一起，无法洗掉孤独。

她说，你是不是爱上我了。她坐在地毯上抽烟，一边似笑非笑地看着他。他说，你行踪不定，我只想能够找到你。她的手指抚摸他的头发。她说，我是不属于你的，你也不属于我。这一点你要很清楚。她轻轻抹掉他眼底的泪水。

三天后她离开上海，去了广州。在机场她打了他的手机。她说，我是Dew。他正好在公司开会，他不知道可以对她说什么。三十八层的大楼落地玻璃窗外是蓝色天空和冬日阳光。这一刻他是正常生活里的男人，因为理性而冷漠。他说，我知道了。

电话里传来她干脆的挂机声音，没有任何留恋。他想象她的样子。脸上没有任何化妆，慵懒的表情，和在夜色中截然不同。她是只在他的黑暗中出现的女孩。

终于传来旧日女友在美国嫁人的消息。那一个晚上，他突然很想念Dew，想再次和她在一起，整个晚上，没有尽头。彻夜失眠中，他走到浴室，用剃须刀片割破手臂皮肤。他开了一瓶whisky，一边喝一边看着血顺着手腕往下流。

他想抚摸到她的脸，而她会似笑非笑地淡漠地看着他。他终于感觉到有点醉了。看着手机，知道没有她的号码，他甚至不知道她是否真的在广州。她是露水一样的女孩。

他哭了。天色发白的时候，他潦草地包扎了一下，洗了冷水澡准备去上班。穿上西装以后，除了脸色惨白之外，看不出伤口。德国老板委婉地对他说，你需要好好调整一下，去看一下心理医生吧，OK？他点点头，收拾了东西，离开了公司。

第一次在白天的时候，他能有空去街区中心的大公园散步。春天阳光照在脸上，还有孩子的笑声。生活似乎依旧美好。他坐在樱花树下面的草地上，脱掉皮鞋，看着来往的行人。他再次感觉到生命的空虚。不知道为什么，他的感觉和身边健康生活着的人不同。他是一条鱼，被强迫扔在阳光充沛的海岸上。可是他需要幽暗寂静的海底，一个人，如果还能有爱情。

手机里面再次传过来她带着一点沙的甜美声音。她说，她在上海，停留一天。他忽略时间的存在，只是感觉到天气又变得寒冷，第二年的冬天到了。

她有些变了。是经历太复杂的女子，眼底的淡漠和妖冶奇异地变幻着。他不明白她为什么还想要见他一面。她说，她明天要去北京，为一个Rave Party工作。她在广州跳了一年的舞。

这样年轻的女孩。他看着她。她其实不需要任何东西。她鄙弃爱情。她只是喜欢用青春做赌注，和生命玩一个游戏。可是这个游戏是空虚的。快乐也好，痛苦也好。他们从没有沟通过。彼此陌生的两个人，始终冷漠，但是他们做爱。他困惑地感觉着黑暗中这深刻的抚慰。

他知道，黎明一到来，又只剩下空洞。

她看到了他手臂上的伤口。她嘲弄地笑他，你该早点结婚。她推开他的手。

他说，你能留下来吗。她说，不行。她拉开一角窗帘看了看外面。她说，下雪了。这是他们邂逅的第一次。他记得同样的场景和对话。时光无止境地轮回，生命在里面飘零。他低声地说，我爱你。女孩冷冷地看着他，别对我说这个，我不相信爱情。

他不知道自己的欲望从何而来。突然扑上去，把刀扎向她的胸口。一下。一下。又一下。

鲜红的血顺着她心脏上的蓝紫色蝴蝶往下流。他说，你也有血的，所以你会疼。他俯下脸亲吻她的眼睛。我只是不想让我一个人疼痛，这种感觉太寂寞。

呼吸

「1」

刚刚在网上认识林的时候，我对他说，我单身，独自住在三十八层的一套公寓。没有工作。林问我，那你靠什么谋生。我说，我总是不停地坐出租车，希望能在车上拾到别人遗失的黑色提包，里面会有一包一包的钞票。因为曾经有一次，我这样捡到一笔钱。

林在那里沉默了一会儿。他似乎半信半疑。终于他对我说，还是找个工作比较好。即使是每年能遇到一次，这样的概率也很小。

我独自对着电脑大笑起来。他居然相信我。已经是凌晨两点了。房间里很阴暗，只有显示屏发出刺眼的亮光。我听的是Suzanne Vega的歌。在歌手里面，她显然低调而过时，像一张发黄的皱巴巴的纸，被信手撕下。一贯的漫不经心的腔调，神经质的木吉他。

我问林，你胖不胖。林说，我很瘦。我说，这样好，我喜欢瘦的男人，因为比较性感。

这样说的时候，我一边把音箱的音量调高，空荡荡的房间，寂静像蔓延的湖水。而我是一条无法呼吸的鱼。

凌晨五点的时候，我对林说，我要睡觉了。可爱的男孩，早安。我把鼠标点击关闭电脑，然后从冰箱里倒出一杯冰水，吞下安眠药片。电脑屏幕已经停息，只有音箱发出断线的噪音。在关掉所有开关的电源以后，我的心里突然一片漆黑。事实上，除了上网我的确无事可干。白天我有大部分的时间在睡觉。有时候我会恐惧自己在沉溺的睡眠里面，突然变成一具橡胶。没有思想，也没有语言。

周末的时候，我去西区的Blue。那个Disco酒吧已经开了很久，老板是个香港人。喜欢去那里，一部分是因为习惯。我是个懒惰的人，不喜欢新地方新朋友新事物。旧的感觉给我安全。还有一部分原因，是这里特别混乱。杂乱的音乐，英俊的男人，也有大麻和摇头丸。

Disco是九点半开场，但我不跳舞。有一次，我跟一个系黄色领带的男人玩甩骰子。男人喝啤酒，我喝冰水。结果他输了一千块钱，恼羞成怒，跳起来骂我。

我笑着对着他说，你不想付钱也就算了，但请闭嘴。当他转过身去的时候，我抓住他的领带，把盛啤酒的玻璃瓶劈头盖脸地砸在他的后脑上。

憎恨别人轻视我，因为我已经身临其中。

事情后来有罗帮我摆平，酒吧老板就是他的朋友。

罗说，你不要给我闹事，我可以多给你一点钱，你平时逛逛街也好。

我光着脚坐在阳台上。阳光照在我的脸上，让我晕眩。

天是这样蓝。时间是这样慢。只有两件事情能够让我忧郁，贫穷和寂寞。

如果我手里有了钱，那就只剩下寂寞。

「2」

和林聊天常常会让我大声地笑。我已经知道他比我大一岁，西安人，目前职业是做软件。

是那种读书是好学生，工作是好同志的类型。他的淳朴让我快乐。我的快乐是因为觉得他有时候显得傻气。比如我问他，是否做过爱。他就一本正经地回答我，除非是他深爱的女孩，否则他不会。

这个回答一点也不让人感觉刺激。我就取笑他，你要好好保护自己的贞洁，免得后悔。

我想我在网上唯一一个聊天的朋友也就是林。我不喜欢新地方新朋友新事物。他宽容我的放纵和粗鲁。他有时还会偶尔表示关心。聊天的时候，突然问我，你饿了没有。

我说没有。

他就说，我现在在吃饼干。我想象我们两个边吃饼干边聊天的样子。

我说，那你的那份肯定不知不觉地就没了。

他说，我会都给你。

心里突然就温暖一下。是湿润的温暖。很轻地渗透在心脏的血液里。清清的水滴。甜的滋味。

那个暑假，高三的男生带我去Blue。我第一次到这个酒吧，天性里对混乱的嗜好得到满足。刚开场的时候，舞池里还没有人。我一个人进去疯跳，嫌不过瘾，脱掉衬衣，又爬到高高的音箱上面。沸腾的节奏让我的神经在麻痹中得到释放。后来人越来越多，口哨和尖叫混成一片，我终于全身疲软。

坐在吧台边，呼吸还很急促。一个男人递了一杯冰水给我，他说，我一直在看你。

冰冷的水从喉咙一直滑落到胸口，像一只手，突然紧紧地抓住了我的心脏。就在这个瞬间，我爱上冰水冷冽的刺激感。我看着阴暗光线中的男人，他大概快四十岁了。微笑的时候露出雪白的牙齿，像兽一样。然后他的手指轻轻地碰触到我的脸。他看着他指尖里的透明汗珠，他说，你很让我动心。

那时我十七岁。我身上的衣服还是向同学借的。贫穷和寂寞已经折磨了我太久。

我几乎是没有任何思索地，就把自己放在了罗的手心里。

「3」

林说，看看这个喜欢你的男人。

他把他的照片传给我。是个瘦的清秀的男人，脸上有一种明亮的光泽。那种明亮，是因为他的淳朴。我看着他身上的白色衬衣。想起高中时班上的一个男生。

那时我在班里无人理睬。因为我虽然成绩很好，但喜欢和高年级的男生混在一起，抽烟，跳舞，喝酒，打架，什么坏事都干，而且家庭复杂。他是班长，他很喜欢我。我知道我和他不是同一个类型的人。我不想让自己成为一张白纸上的黑色墨水。他后来要回到北方去参加高考，临行前在我家门口等了很久。我知道他在下面。但我不下去。

那个夜晚风很大。清晨的时候，我跑到他昨晚等过我的大梧桐树下，满地都是枯黄的落叶。

记得那种碎裂般的疼痛。没有眼泪。没有声音。只有疼痛。

我是突然地想去见林。就在那个罗来见我的夜晚。

罗说，他明天要去香港开会。带着他的老婆儿子，大概要半个月。我说，好啊，一家人快乐游香港。深夜的时候，我抚摸罗松弛的皮肤，中年男人的身体有一股腐朽的气息。我想这个男人其实和我一点关系也没有。我不爱他，一点都不爱他。他不在我的灵魂里面。

我起来打开电脑，把Suzanne的CD放进去。她的声音慵懒而厌倦。ICQ的小绿花盛开。我看到林的留言。他说，我知道这种感觉不符合我谨慎的个性，但是我的确想念你。在你消失的七十多个小时里面，觉得自己面目全非。

我把头仰在椅子背上，听见自己的笑声在房间里回荡。

飞机票是我在路过民航售票处的时候，顺手买下的。距离起飞还有六个小时。什么也没带，双手空空地去了机场。

我特意去洗手间照了照镜子。我的面具还是甜美纯净。没有人知道我的心，是这样的残缺不全。林不知道我十七岁就和别人同居。不知道我混在酒吧里狂喝烂醉。不知道我赌钱吸毒抽烟打架。他最多知道我喜欢喝一杯冰水才能睡觉，并且渴望每年能有一次在出租车上得到不义之财。

在飞机上面，我睡着了。我又做梦。熟悉的那个旧梦。在起风的深夜里，看到树下那个男孩的白衬衣。我躲在窗后看他。我很想下去看他，可是我控制着自己。十六岁的时候，我就知道有些付出不会有结局，有些人注定不属于自己。那种温柔的惆怅的心情，那种疼痛。

到咸阳机场的时候，天气突变。下起大雨，并且寒冷。找到他的住所时，我已经全身湿透。我在楼下叫他的名字。他探出头看的时候，我才发现自己是真正地快乐起来。

第一个晚上我们做爱了。我想和他做。我不知道自己为什么想。林的身体陌生而温暖，是年轻的男人的身体，健康而有活力。真好。我纠缠着他，希望他再来再来，无法停息。

我对他说，你现在已经无法后悔了，你的贞洁已被我破坏。

林说，那你就要对我负责，不要抛弃我。他微笑着看我。他说，见到你，我觉得你只是个小女孩，需要照顾的，甜美的。

早上醒来，他去上班，我在家里给他洗衣服，做饭。然后在阳台上给花浇浇水，或者坐在那里看他的杂志。晚上他回来，一起吃饭，然后去散步。很平静的生活。

双休日的时候，我们去了华山。站在阳光灿烂的山顶，我看着苍茫山崖，突然想掉泪。原来我的生命一直是在阴暗中畸形盛开的花朵。世间有这么美好的风景，我却沦落在城市夜色里。

长空栈道是华山最惊险的一个景点。简陋的小木板拼成万丈悬崖外面的一条窄窄栈道。若一不小心掉下去，尸骨无寻。这可是比蹦极之类的玩意儿刺激多了。没有任何防护，只有一条命在上面和死亡游戏。很多人在旁边看热闹。林也在旁边说，留条命回家吧，这种地方太危险。可是我的喜欢混乱刺激的劣根性又开始发作。我说，我要去。

林试图劝阻我。我说，走走就好。肯定没事。我拉住铁链条准备下去。林看着我，他的表情开始变得严肃。那就一起走。他说。然后又跟上几个人。是一小队的人。

那种贴在悬崖上的感觉无法言喻。强劲的烈风在山崖之间回旋。天空，死亡，心跳，融合在一起，整个人完全丧失了分量。原来，原来，生命可以是这样脆弱的东西。任何一个小小的瞬间就会有丧失的可能。走过栈道，是一个小小的悬崖的落脚点。那里有一尊小小的刻在岩石上的佛像，到达的人可以签名和写下心里的愿望。我向来是没有愿望的人。我问林，你要不要去签一个。

林说，你知道刚才我想的是什么。他看着我，说，我突然明白死亡也无法驱除我对你的深爱。

「4」

七天以后，我回南方。天下着夜雨。出租车一开上熟悉的街道，我的心就开始压抑。车窗玻璃上的雨水一行行地滑落。对那个三十八层上面的房间，我感觉恐惧。一打开门，电话就响了。再次听到林清朗的声音，有恍然若梦的模糊。林说，我想我一定要请求你，请求你来西安生活，做我的妻子。

这个声音是和山顶的灿烂阳光联系在一起的。有温暖安定的家庭生活，有深爱自己的年轻的男人。我丝毫不怀疑他的真心，他是这个世纪末最诚恳的一个男人，现在就在我生命里。

我一直以为自己的生活里已经没有任何机会。

我说，可以吗。

他说，可以。你过来找份工作，我们在一起。平静快乐地生活。

我浑身发冷，雨水顺着发丝一滴一滴地打在脸上。我听到林对我求婚。

再次回到寂寞的暗无天日的生活，简直难以忍受。可是我控制着自己。我强迫自己去想一些现实的问题。比如林是做软件的，他也许永远都发不了财，而我已经习惯在无聊的下午去逛街，胡乱花钱。林不会想到我的生活是这样毫无节制。我从十七岁开始过罗提供给我的生活。

我的脾气开始暴躁起来。因为对自己的未来无法把握和预感。在深夜的电话里，对林语无伦次。我说，我也许根本就找不到工作。我一直没有出去做过事情。我什么也不会做。我也不知道如何与人相处。我已经是个废物。

林鼓励我，但是你是个聪明剔透的女孩，你要相信自己。

我说，我不了解你。我不相信男人。如果你以后对我不好，我是不是要一无所有地回来？

林在那端轻轻地叹息，不要在伤害你自己的同时再伤害别人了。好不好。

好不好。好不好。好不好。

罗回来的时候，我拒绝他碰我的身体。这么多年了。这是第一次。

罗似乎有所意识，他说，你有什么决定吗。

我说，我要走了。我不想再在这个城市里面。不想再和你在一起。

罗轻轻地笑，要远走高飞，开始新生活了吗。他的眼睛微微地眯起来，这使他的眼神突然显得凶恶。他说，为什么你长大以后却会变得愚蠢。

我感觉自己的骨头发出咯咯的声音。我憎恨别人轻视我，因为我已经身临其中。

我冷漠地看着他，我说，我什么东西也不带走。我只要离开。

罗一把握住我的手臂，他说，把你从十七岁开始花掉的钱都还给我，他因为气愤而无措。

我狠狠地推开了他。我说，那你就先把我从十七岁开始被你占有的时光还给我。

「5」

雨下得好大。我跑过宽阔的大街，不顾红绿灯，飞快地奔跑。汽车的刹车声和愤怒的咒骂声交织成一片。但是我已经什么都听不到，什么也看不到。我只想给千里之外的林打电话。

我要告诉他，我可以为他放弃所有，我可以自由，我可以去西安，我可以嫁给他。我感觉自己的心脏和血液激烈地跳动，充满了活力和激情。

一直跑到西区附近，才找到一个公用电话亭。我把卡塞进去，手因为冰冷而僵硬。电话是长音，但没有人接。我听铃声响了很久，终于断掉。我想林为什么还没回家呢，现在已经晚上九点了。也许他在加班。林对我说过，他又找了一份兼职。他想为我的到来多赚一点钱。

我靠在玻璃上等待。整个城市被淹没在苍茫的大雨里面。好像一只空洞的容器，漂浮在海面上。我的裙子冰凉地贴在身上，只要风一吹过，就冻得浑身发抖。

可是一切都会好的，我想。

也许明天我就可以出现在西安。那个古老的城市。高大的钟楼在暮色中总是有一群夜鸟飞旋。碑林附近的石板小街弥散着书墨清香。林牵着我的手在那里散步。这是我要的生活。简单朴素，却温暖。

林轻轻地俯过来，亲吻我的脸，在每一个他爱着我的时刻。

我是一个多么害怕寂寞的人，我曾经多么寂寞。

然后有三个男人靠近了我。我看不清楚他们的脸。只看到站在最前面的那个扎着一条刺眼的黄色领带。他说，你终于出现了。他浑浊的酒气喷在我的脸上。在我还来不及回忆起他的身份的时候，一把冰冷的锋利的硬器扎入我柔软的腹部。

身体里突然就被一种温暖的激流所充溢，异常舒适。我抬起手推开他紧贴着我的身体，看到他的黄色领带上面涂满猩红的液体。男人一哄而散。所有的瞬间只不过短短三分钟。

我把手捂在伤口上，那里不断有温暖稠腻的血液喷涌出来。我的卡还塞在电话机里面。

我想我应该可以继续给林拨号。可是我的身体却顺着玻璃慢慢地滑下去滑下去。那种逐渐丧失分量的感觉，就好像我在悬崖的烈风中行走一样。

林问我，你知道刚才我想的是什么。

空城

清晨七点，火车缓缓进入异乡的站台。这是终点站。人群拥挤地流向出口。

她把自己的行李慢慢地拖出来。下车之前，掏出镜子，在嘴唇上抹了一层单薄的玫瑰油。看到自己眼睛中的疲惫。

整个夜晚，在卧铺上不断地醒过来。每一次停靠在不知地名的站台。她睁开眼睛就会看到玻璃窗外白色灯光。一共是十六个小时的旅程。卧铺的票价和一张机票其实已经没有什么区别。但是这是一个没有目的的旅行。虽然她要经过三个城市。她需要的，仅仅是这段旅程的本身，在路上的感觉。

半夜，火车停留在镇江。人声鼎沸。车厢里一片漆黑，听到隐约的鼾声。她突然看到他的脸。很久她的心里已没有任何关于他的线索，那里已经是空茫的雪后原野。但是看到他的脸，带着熟悉的气息，俯向她。她抬起手想抚摸他的眼睛。手凝固成孤独的姿势。

发现自己是清醒的，并且浑身是汗。黏湿汗水把头发贴在了脖子上。

这是他的城市，她从没有去过这个小城。曾经这里有他的爱情。她回想着他脸上她熟悉的那种神情。突然发现，原来自己从不曾遗忘。原来他只是缩小成了心上一条短短的纹路，只是无法回复平整。

铃声之后，火车又摇晃着驶向远方田野。她散着头发从中铺爬下来，沿着窄窄走道，走到尽头的盥洗室。她用冷水把毛巾淋湿，然后盖在脸上。镜中的脸像一朵半谢的花。

烟花三月下扬州，心里浮起古老的诗句。她一直记得这一句，好像是一次告别。她不知道自己去向何处。票根上的城市名称，是一种安慰。

叶说，来我这里，让我看看你。她去买票的时候，刮很大的冷风。整个城市阴冷荒凉。她走在大风中，像一只无法收起翅膀的鸟。突然觉得累了。

行李包中只带了几件棉布衬衣和一本杜拉斯的传记。无法确定自己去远方的意图。是寻求一次让自己心安理得的逃避吗。因为她对叶的无所期求，还是因为叶在电话那端轻声地说，你是需要照顾的孩子。

阅读是唯一的陪伴。再次迷糊地睡过去的时候，她的手指搭在冰凉的书页上。

随着人群走过地道，看到出口处的阳光，她的眼睛有微微的晕眩。

叶站在阳光下，笑着凝视着她。他们一眼就把彼此相认出来。她把票子递给检票员，她看到他身上背的黑色帆布包。在上海写程序的时候，上班的时候，他都会背着这个包，因为里面要放工具书和笔。

第一次见面是在上海。那个夜晚下起凉凉的雨丝。他慢条斯理地从包里拿出一把折叠伞给她看，但是后来他们没有用那把伞。他们在雨中走过整条圣诞气氛中的淮海路，她记住了他的认真。是唯一一次见面。已经一年了。

叶把她肩上的包卸过去。他说，你瘦了。他微笑着，他自己却有些发胖。

在上海工作的时候，他过着忙碌的生活。回到自己的家乡，却开始调整得悠闲舒适。他没有正式上班，偶尔给企业写写程序。晚上去夜校读书。他说，日子过得比在上海的时候舒服。他不喜欢那个城市。

他们上了出租车。车子沿着陌生城市的宽阔街道向前飞驶。他对她说，这条环城路很漂亮。路的两旁是浓密树林。她轻轻侧过脸看阳光下的绿叶。他说，你累吗。他迟疑地看着她的脸。这一年我不知道你是否过得好，你一直不肯再和我联系，他说，但是我们是很好的朋友。

出行的前一夜。远方的朋友曾打来电话。深夜的时候。他问她，你为什么决定要出去一星期，也许只会让你自己更糟糕。她说，恐惧自己会在寂静中腐烂。一点一点地，从根部开始。要晒晒太阳了。

那你为什么不过来看我呢。他在电话那端说。

不能过来看你，是因为你对我有好奇。但是我需要的，却是安慰。

她微笑。她知道他懂得她的意思。她不想见到任何对她抱有好奇和期望的人。这种感觉太疲倦。

叶不一样。他是朋友。在上海音乐学院门口，他背着他的黑色帆布包，站在梧桐树下的样子，不曾让她的心感觉任何起伏。这种平静的感觉，使她感觉安全。她说，有时候我需要的只是这些简单的东西。他说，我知道。她有很多时间，她可以走得更远。但是，她可以选择的平静安全，却并不多。

墙上还挂着叶买给她的圣诞礼物，是在淮海路上的一个精致的小店铺里面。她抚摸着天使木偶的洁白翅膀，他说，你喜欢吗，他执意买了给她。她把它挂在墙上，很长的时间。她没有给他任何消息，她不确定自己再次出现是否会带给他伤害。

但是她知道他会原谅她。因为原谅，所以才有肆意的自私。

车子停在他的公寓楼前面。安静的住宅区。他自己住，两室一厅。不是特别大的房间，但是有干净的厨房和卫生间。客厅里放着旧的冰箱，有一台很老的电脑，两个房间各放了一张单人床。他说，你随便挑一张。床上铺了散发着阳光气息的蓝白格子的床单。

她也自己住。但不是他房间里那种简单洗练的气氛。她的大卧室里总是有堆得高高的杂乱的书籍和CD，一面墙挂满她黑白旧照片的木框子相架，放在窗台上的小盆绿色植物，还有绒布狗熊和各种木偶。当然也有电脑。那个房间唯一缺少的是人。

她说，自己住有没有感觉寂寞。

他说，挺好的。看看书，上上网。如果你能多住几天就好。

明天她就得离开这里去南京。她有两天一夜的时间停留在这里。她脱掉鞋子，在客厅里转了一下。她喜欢上这个房间。有个平静而认真的男人。有一段空白的生活。

他们去逛街。这并不是一个商业气氛浓郁的城市。走在大街阳光下的人群，有着懒散的表情。比起上海的喧嚣尘烟，这样的生活是平淡悠闲的。他说，我不清楚你为什么会喜欢上海，上海的水和空气都不好。她说，我只是对它有情结。虽然不知道是为什么。

在地铁站台，总是有行色匆匆表情冷漠的人群。他们披着一袭孤独的透明外衣，像穿行在深远海面下的鱼，各行其是，脆弱无常。她喜欢看着陌生人，想象和猜测他们的思想。而平淡无奇的城市，是一面平静的湖水，轻轻淹没期求。

走过最繁华的大街，他们去豆浆店喝豆浆。闲散地聊天。有时候只是安静地看着街边的阳光和人群。聊起一些朋友，大部分都有了变动。深圳，北京，西安。生命像鸟一样迁徙。他说，他肯定也是要再次出去。生活总是在别处。

他们是在聊天室认识的。每一个上网的人都会有一段特别的聊天室经历，在上网的初级阶段。她几乎不再回想那段日子，在聊天室引起的纷扰喧嚣。最后她让自己像一颗水珠一样地蒸发消失。

他说，还记得我们在聊天室刚刚碰到的时候吗，聊了一个通宵。还有那个北京的阿吉。

是，她笑。

后来你再也不来了。

和聊天室所有的人断掉了联系，因为想消失掉。

为什么。

不知道，因为厌倦吧，厌倦虚幻。她微笑着看他，唯一的收获是有了一个朋友。

他固执地说，可是曾经你也和我断绝过联系。

她说，我们都是自由的。

她说，最起码现在我还会千里迢迢来看你。因为你是我在远方的朋友。我并不是一个能和别人轻易做朋友的人。

在城隍庙里，她好奇地看着电烤的羊肉串。他说，吃过吗。她摇头。她喜欢素食，平时几乎从不吃这一类的食物。她突然像个孩子一样地快乐起来，摸出硬币，我们来一串吧。

烤得很烫的肉串，上面撒满了辣椒桂皮粉末。他们站在一边，和身边的一大堆人挤在一起，吃完了串在铁丝上的肉。这种热闹的日常生活似乎离她很遥远。她一直过着寂静的日子，像她的手背上的一小块皮肤，纯白而素净。

她想起一个人，一直接连不断地写批评的信给她。他写很长很长的文字，诉说他对她的不满。她突然觉得他付出的精力其实很多。他收集她所有的文字，研究小小的细节。平时她几乎很少回信，但是她写了几句话给他。她说，谢谢你写了这么多的字给我。希望你是快乐的。如果她有相同的精力和时间必须付出，她宁愿选择去喜欢一个人，这样自己的心也会好过一些。很多时候，无话可说。

可是这一刻，她感觉到隐约的快乐。叶总是给她一大片自由平静的时光。想说就说，想歇就歇。他不是那种自我中心又张扬的男人。

他说，你最喜欢做的事情是什么。她歪着头想了一下，说，看恐怖片。和我一样，他笑，那我们去买片子来看。在一大堆盗版VCD里面，他们挑了三张美国片子。

晚上她提议在家里做饭，她不喜欢在外面吃饭。他说，你会太累。她说，不会，再叫几个朋友来。吃完饭我们打牌。

他们去了菜市场。她已经订好菜谱。买了卷心菜，鱼，西红柿，豆腐，蘑菇，萝卜和豆子。手里提了一大堆东西，出来的时候，她又买了甘薯和糯米团子。她说，打牌以后我们可以再做水果甜羹当夜宵吃。

天色已黄昏。她系上围裙，两个人在厨房里忙碌，他负责洗和切。透过窗口，看到对面楼上的明亮灯火。温馨的夜色里传来话语和饭菜香。她把火开得很大，一边做菜一边两个人有一搭没一搭地说话。典型的内地南方男人，都有会做家务的美德。他也不例外。

她对他的感情是这样平静，所以能够为他做一个温柔凡俗的女孩。无数次，她渴望自己能够放弃写字和漂泊，为一个男人停留下来，做这些琐碎平淡的事情。可是如果真的有能够相爱的人。

他微微有些疼痛地看着她，你应该过正常的生活，不应该寂寞，不应该漂泊。

她看着冲在碗上的清水。也许，长期寂寞而漂泊的生活，真的让她恐惧了。

为什么会觉得自己无处可逃呢。叶笑着看她，他们问我你会不会嫁给我，我说我希望会。他说，你可以考虑一下这个问题吗。她说，碗放在哪里呢。她转移开话题。

终于都打扫干净了。她冲了热水袋。冬天的寒冷总是让她无法抵挡，那是一种从身体里面涌动出来的寒冷，血液会流得很慢很慢。因为没有带常用的洗面奶出来，她在超市买了一块强生婴儿香皂。还买了一包玫瑰茶，一小朵一小朵晒干的玫瑰花蕾，用热水泡软以后有浓郁的清香。

他在房间里打开电脑上网。他说，你来收信吗。她说，算了。她不想碰电脑。有时候她会厌恶这个辐射强烈的机器，让她脸色苍白。

她说，晚安。

晚安。他看着她。好好睡一觉。

她走到旁边的房间。小小的干净的房间。关窗子看到异乡深夜的天空，一轮银白的月亮。风是清凉的。她拧开床头的台灯，把玫瑰茶放在旁边。关上房门，但没有上锁。她信任他。虽然这是他的城市，他的房间，他的床。

叶的房间里没有任何声音，也许他也已经躺下了。他问她，你可以考虑一下这个问题吗。他是认真淳朴的男人。第一次见面，她就感觉到里面的清楚界限。他让她的心平静如水。

她喜欢的男人，是地铁里陌生的英俊男人。冷漠的，遥远的，隐含了所有的想象和激情。始终无法靠近。无法对谈。无法拥抱。就是如此。

可是你能够选择平淡的婚姻吗。她问自己。如果能够，就不会走得这么远。

叶是过着明亮正常的生活的男人。可是她的日子阴郁和混乱了很久。她不会带给他幸福，同样，他也无法给她激情。所以这个问题就无需考虑。她把自己的身体蜷缩起来。

早上她醒得很早。她洗了头发，房间里弥漫着洗发水的清香。这一觉睡得安稳和平静，甚至摆脱了梦魇。在厨房里，她穿着衬衣，开始煮粥和热牛奶。两个人的生活，最起码会想到要为另一个人做点事情。而一个人的生活，因为自由，对自己也开始漫不经心。通常，她独自的时候，她会睡得很晚，然后随便找点东西吃，打发了事。生活毫无规律。

叶也起来了。他说，我们应该聊聊天。

她说，好。她微笑地看着他一本正经的脸。

我觉得你应该认真考虑一下生活的问题。是否出去工作，或者嫁给我。

我正在考虑，她有点烦躁。她不喜欢他又提起这个问题，因为她觉得自己的自私也有责任。她早就预料到，自己的出现，会带给他某种困惑和伤害。也许她需要的只是一个朋友，没有任何威胁感和激情的危机，没有好奇和期待，只是彼此平静安全的相处。一起做饭，逛街，聊天。虽然他是个男人。

她说，吃早饭吧，她有些歉疚地看着他。她总是有杀伤力，对自己，对别人。可是叶陪着她。在这个城市里，她感觉是快乐的。生活正常和明亮，她唯一并且始终疑惑的，是幸福的含义。

豌豆，我感觉你过得不好。他说。他始终叫着她以前在聊天室的名字。青梅竹马的温情感觉。过得不好也一样在过下去，她淡淡地看着窗外的阳光。不要为我担心，我一直都是脆弱而顽强。

下午她准备坐高速公路的巴士去南京。叶说，我知道我留不住你。

反正总是要走的，她说，虽然我也很想在你的房子里住下来。我很喜欢它。

等你老了，累了。他笑。

她也笑。无法实现的话语总是很美丽。可是她希望他能够幸福生活。她把行李收拾好。因为长期在外面的旅行，她对居无定所的生活已经习惯，她把那包玫瑰花蕾带走，她喜欢它。像还没来得及生长就被掐断的爱情，凝固了最深处的芳香。

天下起细细的雨。她笑，为什么我要走了，天开始下雨。他说，因为你的无法挽留。

他把摩托车开的速度接近飙车。凛冽的冷风夹带着雨点打在她的脸上，她有无法呼吸的窒息感。可是狂野的无法控制的速度让她快乐。这种类似于欲望的感觉，也许才是能让人心血沸腾的东西。一切只是过于短暂。她仰起头看着灰白的天空，天空在疾驶的速度中，似乎是倾斜的。

她买了一份厚厚的《南方周末》和一瓶矿泉水，她知道如何打发车上的两个小时。

叶看着她。他说，南京有人接你吗。她说，有。她还没有给枫打过电话。他是她最好的朋友。她打算到了以后再打电话给他。如果去南京工作也很好。那里不像上海北京竞争激烈，但又很大气。比较适合你。

叶说，而且你去南京，我可以常来看你。或者你先在那里待着，以后我们可以再去深圳或者别的什么地方。

她微笑，她对自己的生活从没有任何安排，只是走到哪里算哪里。她已经过了很久空闲日子。想有份工作，只是想让自己忙碌得失去思想。没有思想的生活，是否会好过一些。有些疲倦了。做菜其实比上网，更容易让她快乐。

她走上车子。旁边的座位是个年轻的男人。他让了一下，让她坐进去。她靠在窗上，对叶摆了摆手，回去吧，雨下大了。一些冰凉的雨点打在她的脸上。车子开动的时候，叶的脸一晃而过。

她看到黄昏暮色迅速地包围过来。车子开过市区的街道。到处是下班的车流和人群。告别了，那些温暖的晚餐，喝酒，牌局和聊天。告别了，生活正常的一刻。她的确很喜欢他的房间。可是比这份喜欢更明确的是，她知道自己无法停留。把头靠在玻璃窗上，她闭上了眼睛。

车子开始在高速公路上疾驶。夜色降临，车子里很热闹，有人大声地聊天。旁边的男人问她，你在南京哪里下车。她说，汉中门。他说，我也是在汉中门。但是这车子的终点站好像是在中央门。

没关系，走哪儿算哪儿。到时坐公车进去就行。

她感觉到身体深处的疲倦。突然不想吃东西，也不想说话。只能在黑暗中听着自己的呼吸。但是心里有隐约的回家的感觉。南京，好像是有前世的乡愁在那里。她曾对枫说，她怀疑自己前世也许是在秦淮河的夜船上唱歌的女子。她喜欢这个古老的城市难以言喻。那种被岁月沉淀后的气息。

车子开到长江大桥，堵了近一个小时。卡车客车混乱拥挤，夜色中的大桥灯火通明。

她看看时间，已经快八点了。枫也许以为她今天不会过去了，幸好她没有让他来接。她看着大桥，心里温柔而酸楚。过了这个桥，就到家了。

那些在二十七层的大厦上做广告的日子。她常常趴在窗台上看着楼下的景色，差不多整个南京城区都在眼底，摩天大楼和灰暗的旧房混杂在一起。她手里端着水杯，听着周围的普通话。有短短的一段时间，她以为自己可以安定下来，在这个节奏缓慢慵懒的城市，过平淡的生活。可是想要的生活非常简单，追寻它的道路却始终迂回反复。

到了火车站的时候，已经很晚。男人和她一起坐上开往市中心的公车。他们开始聊天。他看过去很干净整齐。在南京有他的办事处。她在珠江路准备下车，可他坚持她和他一起在新街口下。在旅途上，常常会碰到一些有意思的人。她笑笑，没有再坚持。

对你去过的城市有什么感想吗，他问。有些城市感觉很沉闷，她说。

那也许是因为你碰到了一些沉闷的人，他说。

他们同时笑了起来，她记住了他这句话。她觉得他是个聪明的人。

为什么想来南京，是因为这里有你爱的人吗。

不，因为这是我喜欢的城市，而且有我朋友在。理由很简单。

嗯。你看过去是天生适合做广告的人，他诚恳地说。

为什么，她笑。

因为你的眼神很自由。

车子在热闹的新街口停下来。她说，我要走过去。他的方向和她不一样。他说，我能留个电话给你吗。好。他们站在人群里。男人拿出钢笔，写了电话给她。她把纸条收起来放进口袋里。她知道自己也许不会打这个电话。但是她很喜欢和他这一段轻松的交谈。毕竟她走过的地方太多。知道路过的人，只不过是路过的风。

他们挥手道别。她看到他隐入人群，无声地消失。她想她也许可以走着到枫的家里。但是人群让她无所适从。街道宽阔，走过几个路口，也是费劲的事情。她背着自己的包，挤到一个卖VCD的店铺里打公用电话。是枫接的电话。

你到了吗，他说，你在哪里，我过来接你。我不知道自己在哪里，她看看周围。到处是人群和车流，她看不到路牌。突然之间，她发现自己似乎迷路了。孤独的感觉让她无法言语。

你在新百门口等我，我马上过来。枫果断地挂了电话。

她在那里站了一会儿。有《大河恋》吗，她问卖VCD的老板，是布拉德·皮特演的。好像没有。那个胖胖的男人说。她朝新百的方向走。新百的门口有很空旷的广场，灯光直射。很多人聚集在那里。她实在太累，几乎无法再多走一步。于是在旁边的台阶上坐了下来。身边还有一些人，和她一样的神情淡漠。

她发现自己再次融入了这个城市的夜色。

埃米莉给岛上的看守写了一封信。她说，在自己面前，应该一直留有一个地方。独自留在那里。然后去爱。不知道是什么，不知道是谁，不知道如何去爱，也不知道可以爱多久。只是等待一次爱情，也许永远都没有人。可是，这种等待，就是爱情本身。

她不清楚自己的脑子里为什么会浮起这些书籍里的片段。她把头发散开来，闻着它散发出来的清香。感觉很饿。在人群中张望，也许很快就会有一个男人出现，他会把她带回家里，给她热水和食物。她是流浪途中的一只动物，没有任何目的。经过的每一个城市，对她来说，都是空的。

她把脸藏在自己的手心里。然后哭了。

伤口

第一次见到罗，是因为公司要为他们代理的产品做广告。具体文案是我负责。我想要些更多的资料，就跑到他的公司。在和部门经理交涉的时候，他刚好经过。他说，你是安蓝，我看过你写的广告，写得不错。

他的普通话有浓厚的北方口音。看人的时候，眼光肆无忌惮。也许处于权威地位的男人都会这样地看人。我对着他的目光。在短短的几秒钟里，我想我的眼神一样顽固，然后他沉默地走开。

我喜欢英俊的男人。一直是可以称之为好色的女子。一个男人能引起我的兴趣，只有两个可能。或者他很聪明，或者他很漂亮。罗的身材已经开始有些发胖，但是整个脸部依然有锐利的轮廓。在年轻的时候，他应该是非常英俊的男人。

我抱着资料在电梯里，回想他的手。在从三十六层到地面的短短时间里，我想着如果这样修长的手指抚摸在皮肤上，不知道会有什么样的感觉。然后我对着电梯的镜子，轻轻地笑了。

乔曾问我，安，为什么你的脸上会有莫名的微笑。那年我们十六岁，在一个重点中学读高一。一次学校举行大合唱比赛，我们反复地排练几首歌曲。很热的夏天中午。在空荡荡的大礼堂里面。歌声显得卖力而疲倦，大家都很渴望午睡。然后我突然无法克制地微笑起来，并且笑意越来越深，终于发出冒失的声音。

老师提醒了我几遍。可是每一次重新开始的时候，我又笑。排练几乎无法完成。老师恼怒地说，安蓝，请你下来。你什么态度。这是一首需要凝肃悲壮气氛的歌曲。你居然当是玩。

最终我被取消了参加这项活动的资格。

比赛那天，大礼堂里坐满人，一个班级上去演唱时，一整片地方就只剩下凳子。阳光透过大礼堂的窗口照射进来，使我独自在一大片空凳子中显得特别刺眼。有另外班级的学生朝我看。爱看不看，我转过脸去，觉得自己是一块冰凉的玻璃，反射着一缕缕好奇的眼光。

乔问我，那时到底为什么笑。其实我只不过突然开始想象，同学们站着睡觉的样子。

我不觉得想象有什么不对，这只是一个能使我快乐的寂寞小秘密。我在那个重点中学里的形象，也许就是从坐在空凳子中间被注视开始。

从小我就是不会讨好的女孩。母亲离婚以后，脾气变得暴躁。我们无法给彼此安慰。我常常挨打。她用手，用拖把，用衣架，武器非常的多。我不喜欢她对我说话的方式。比如她说，你说你错了，我就不打你。我给她的回答只有沉默。有时她又说，你只要哭出声来，我就不打你。可是我从不掉泪。

这样的纠缠常常要等到邻居来劝才停止。林的妈妈把我领到她的家里，我一边吃她给我的苹果，一边冷漠地听着母亲的哭泣和咒骂。我不知道如何可以让母亲快乐，也许这不是我的错。

我皮肤的恢复能力特别好。不用依靠任何药品，几天以后任何伤口都会愈合。有时候我抚摸肌肤，听到它会发出声音。只有一次。上体育课的时候，我的腿被打得肿胀，跑了几步就无法克制，我强忍着退到操场边上，不想让老师感觉到我的异常。因为不想让他看我的伤口。伤口是丑陋而羞耻的。只能隐藏。

每个周六下午放学，林来校门口等我。他骑着他破旧的自行车，从市区一直骑到我在郊外的学校。他等在校门口的形象让进出的女生们瞩目。长长的腿抵着地，抽着烟。乔搞不清楚我为什么会和一个职高毕业的男生恋爱。当然，他很英俊。乔微笑地对我说。你的选择非常本能。

她喜欢取笑我，我早已习惯。就像和林之间的感情。那时他已经工作，在一个偏僻的港口边上开了一个加油站，为来往的渔船加油。空闲的时候喝酒打牌，唱唱卡拉OK，生活已经把他定型。他无法再往高处去。可是我习惯和他在一起，习惯他轻而易举地就把我抱起来往上抛，看着我尖叫，习惯他走路的时候，把他大大的温暖的手放在我的脖子后背上，像拿一只小猫的样子。

我无法告诉乔更多。当我在林的家里，等着他的妈妈给我拿来苹果的时候，他把他所有的漫画书都堆到我的身边，虽然他不和我说话。

夜自修，乔偷偷地拿出高年级男生写给她的信给我看。乔在爱情的水流边矜持而快乐地撩起裙子，想试一试水温。而我，我是一个被沉溺的人。甚至我无法选择。

因为那个广告，我去罗的公司跑了好几趟。最后定稿下来，是下班的时候。他们要出去聚餐，庆祝一个副总经理的生日。罗说，你也一起去。我拒绝了。

我们等电梯，罗站在我的身边，但没有再对我说话。电梯里面很多人，大家放松地开着玩笑。我贴在电梯壁上，罗还是在我身边。是在三十二层的时候，他突然牵住我的手。温暖的手指，轻轻地把我的手蜷起来，放在他的手心里。我没有看他，我让他握着。在别人眼里，也许我和他互不相关，但是我们的手指却交缠在一起，暧昧而缠绵。他似乎在沉默中认真地体味我手指的柔软，他轻轻地抚摸着它。

电梯不停地开门关门。到一楼的时候，拥挤的人群开始疏散。罗在那时放开了我，他甚至没有对我说再见。

手指上有黏湿的汗水，我把手放在裙子上慢慢地擦干。他和我有着同样的方式，直接，并且不动声色。

乔曾对我说，安，你像某种杀人植物。外表看起来不会带给人任何威胁感。但是你会在别人接近你的时候，突然喷射出毒液。你让人措手不及。

有吗。我心里想。我不知道。在人群中我是低调的人。神情冷淡，漫不经心。毕业后我留在这个陌生的城市。我维持自己的生活，我还没有固定的情人，因为碰到的英俊或者聪明的男人实在太少。有时也会在路上偶然邂逅，和我想象中一样的男人，平头，穿灯芯绒衬衣和绒面的系带皮鞋。我想我是否能够走上去对他说，你好，今天是否过得好。然后和他聊天，吃饭，散步，直到做爱。

在我想象的瞬间，他已消失不见。虽然那一刻，我和他之间的距离只剩下五厘米。

幸好我有工作。在高层大厦的落地玻璃窗前，看下面的大街和大街上的行人。一边喝咖啡一边写文案。这样度过八个小时。晚上洗个澡，看一本可以催眠的书。又是一天。

当然现在刚刚出现的，还有罗的约会。他常常在黄昏的时候，打电话到我的公司，约我吃饭。

他带我去很贵的地方。星级酒店的餐厅，有特色的菜馆，去得最多的地方是日本料理店。清淡的食物，精美的瓷器，温暖的灯光，我喜欢这些东西，是罗带给我这些。窗外夜色弥漫的时候，里面的客人总是很多。我曾经仔细看过那些碗盘，上面很多是优雅而流畅的花朵图案，花都是开到极致的，没有花蕾。

我说，日本人对美和伤感有极端的推崇。比如川端康成，比如浮世绘，比如花吹雪。罗喜欢听我瞎侃。他总是微笑着看我，眼睛稍稍地眯起来，有平和的温情。我不知道他为什么会对我产生兴趣。我不是美丽驯顺的女孩，不会讨好别人，可是他给我食物，时间和纵容。他没有和我做爱。我等着看他会如何开始，也许随时都会发生，又或者始终都不会发生。

我们在人群中告别的样子就像两个陌生人。我从不回头看他，自然也不知道他是否曾回头看我。

深夜独自睡觉，最怕的事情是失眠。因为失眠会带来很多往事。记忆就如死鱼一样从浑浊的水面上浮起，散发出腐烂的气息。窗外有时有回旋的风声。我听到自己的皮肤发出寂寞的声音。还有蚀骨的寒冷。原来从来就没有消失。

十五岁的时候，父亲重新结婚。那一个夜晚，母亲打我比任何一个时候都要厉害，直到把那把竹尺子打断。随着竹尺子清脆的断裂声，母亲愣在了那里。我鞋子也没有穿，跑出了家门。秋风冷冽。我一边跑一边感觉到自己的颤抖，没有穿鞋的脚踩着地上厚厚的落叶。风在耳边呼啸的声音，树叶碎裂的声音，心脏在麻木中跳动的声音，把我淹没。

那时林已经搬家。可是这是我唯一可去的地方。我足足跑了近十站的路。

晚上躺在林家里的沙发上，我感觉到疼痛。虽然背上抹了药水，可是烧灼般的剧痛让我无法停止颤抖。我推开林的房门。我摸到他的床，我说，林，我很疼。林把我抱在怀里，他用被子盖住我，他轻轻抚摸我的头发。他说，会好的。一切都会好起来。

可是我还是疼。我不知道该如何平息这种把我吞噬的疼痛。我不停地颤抖。然后突然林把我拉了起来，他脱掉了我的衣服。他说，让我看看你的背。这是我第一次在别人面前裸露出我的伤口。我企图挣扎，可是赤裸的伤痕累累的背已经负荷了很多东西。我拼命屏住呼吸。只有屏住呼吸，才能感受这样甜美的亲吻和抚摸。我的皮肤是这样贫乏和寂寞，我愿意在林手指的辗转中支离破碎。

虽然如此疼痛，可我依然希望他不要停止。一直一直，不要停止。

黑暗中，我又看到那个被检阅着伤口的女孩。我坐起来，喝下很大一杯冰水，让自己的心跳平静。

我对罗说，我想结婚。你是否可以帮我介绍。我们吃完饭，走在大街上。罗想给他的女儿买份礼物，他的小女儿要升小学五年级。我帮他挑了一个很大的芭比娃娃。粉红的裙子，金色的鬈发，小女孩的世界里这些就是惊喜。罗笑着问我，这是你小时候喜欢的娃娃吧。他看着我把这个庞大的娃娃抱在怀里。

没有。没有娃娃，没有裙子，没有糖果，没有抚摸。可是我什么也没说。我只是对他说，我想结婚。你是否可以帮我介绍。

罗在夜色中看着我。他的手犹豫地握住我的手指问，因为什么想结婚。

我笑笑，想生个孩子，想老得快一点，想有个人能在一起。突然有一刻，我的眼睛里涌出眼泪。

在我毕业的时候，母亲已经再婚。她的性格柔和下来。原来孤独会改变一个女人。我突然原谅了她对我做过的一切事情。身上的伤口已经全部痊愈，甚至没有留下一个疤痕。乔也结婚了。乔说，你早就应该和林分手。他和你不是同一条路上的人。他是太平庸的男人。

乔不知道在我刚上大学的时候，林就准备结婚了。

最后见的那一面。林说，我们一直没有共同的基础。唯一的理由也许就是你十五岁的那个夜晚。可是你会长大。你身上所有的伤口也都会消失。你会有更好的生活。你并不属于我。他轻轻地把我推开。就在他把我推开的瞬间，我听到身上所有光滑的肌肤绽裂的声音。看着我的伤口。我的背赤裸在月光下。我只希望他继续，继续。虽然这样疼痛，可是无法停止。

我抬起头，看着罗。我的眼泪流下来。我对他摆摆手，然后用手心捂住自己的脸。

相亲的那天，罗问我是否要陪我同去。我说，不用。下班以后，我独自赶到那个约好的酒店。我也想过要把自己好好打扮一下，或者抹点口红，或者换条漂亮一些的真丝裙子。但最后还是穿着那条皱巴巴的裙子出现。脸色苍白，发干的嘴唇似乎黏在一起。

那个男人和他的母亲一起出现，他们等在大堂的咖啡厅里。母子俩非常相像，脸上都有一种刻板的线条。可是罗对我说过，这个男人学历事业都非常优越。他说，我希望你能为你的生活打算。

我微笑着在他们对面坐下来。这样的场面难不倒我，我从小就学会如何不动声色。我安静地盯着这个男人的脸。我不喜欢他的眼睛，不喜欢他的嘴唇，不喜欢他的手指。然后我对他说，你好，今天是否过得好。这个瞬间，让我想起我在路上邂逅过的平头男子。可是眼前这个男人的头发是拳曲的。

我是否要和这个手指肥胖的男人度过一生，我想象他的手指抚摸在我肌肤上的感受。我的脸上突然显现微笑。终于笑意越来越浓，我笑出声来。

罗又约我去吃饭。

那天我们要了清酒，我喝醉了。我向罗要了烟抽。罗说，你知道那个母亲对我说了什么吗。我说我不知道，也不想知道。罗轻轻叹息，把他的手放在我的头发上，他说，没有人需要你的美丽，你还是孤独吧。

夜已经很深。寿司店里空荡荡的，放着一首悲怆莫名的日本歌。也许秋天马上就要过去了，辛辣的烟雾吸进肺里的时候，感觉到隐约的快意。我把头发散下来，我说，罗，请你拥抱我。罗看着我。他说，我的生活很正常，不想让你摧毁我。一个拥抱就会摧毁你的生活吗？你不要低估你自己的顽强。我笑着俯过去亲吻他的脸。

罗轻轻地把我的脸托起来，他认真地看着我的眼睛。他说，因为你是一个始终带着伤口出现的女人。

生命是幻觉

有许多个夜晚，他看见对面阳台上的那个女孩。

在夜色里，那个宽大阳台，像一部午夜电影里的场景。是深夜和凌晨交接的时分，春天的暖风醺然。女孩穿的是白裙，缀着细细刺绣蕾丝。浓密漆黑的长发，直垂到腰际，海藻般柔软和松散。

有时她在阳台上走动，身影像一只猫。有时就坐在窗台上，蜷起赤裸的双脚，微微侧着脸。更多的时候，他看着她做一些琐碎的事情。用一个白瓷杯子喝水。坐在大摇椅上晃动。吃一只苹果。直到凌晨的时候，她熄灭了阳台上的灯，然后隐没。

数月前，他离开同居多年的女友菲，独自搬入这套公寓的十七层。在医院的走廊里，他等着她从手术室的门口出现。春天斑驳的阳光从树枝间流泻下来，他有短短一刻思想的时间。

在身体痴缠的瞬间，看得见自己的灵魂，冷漠而疏离，在一边观望。也许不仅是做爱。在人群中，在电脑和传真充斥的办公室里，在无止境的商业宴席间，都有对自己孤独和焦灼的质问。终于对菲说，他感觉厌倦，不愿再继续这种虚浮的婚姻生活。这的确是一种实质上的婚姻。可是他想有平静。他没有任何未来可以对她承诺。

在公司发布即将要减薪裁员的消息后，他开始服用药物。他的业绩很好，可是面临一次竞争。上班的时候，他是理性的男人，无懈可击。他不想让自己有任何心理上的漏洞。那些进口的白色小药片，医生说能治疗深度的抑郁症。也提醒了他会有失眠和幻觉的副作用。但是他按时服用。他感觉到安全。

重回单身生活的起初，他又恢复去西区的酒吧喝酒。Jazz混乱的节奏和烟草的气息刺激着神经。还有年轻女孩湿湿的红唇。半夜的时候，才独自坐空荡荡的地铁回家。在车厢灯光下，看见自己映在玻璃上的脸。失去了白天日光下面的面具，空洞得没有任何表情。

那个女孩就这样出现在他的视线里。有时他放一些唱片，让那些水一样的音乐流淌。他感觉她听得见。他们隔着一段不太远的距离，彼此沉默地观望。没有语言，也无法触及。在黑暗中躺下来的瞬间，他感觉到她的触觉，是这样迅速而无声地滑过，一闪而过，像蝴蝶惊动时的翅膀。

阴雨的早晨，他在地铁站台接到菲打来的手机。他们平淡地说了几句废话。然后菲告诉他，她将于下星期结婚。你会连孩子都不要，她终于心有不甘地指责他。

那只不过是一个附带产生的细胞，他听见自己冷漠的声音。

你真的是不正常，她挂断了电话，耳边是一串机械的忙音。他看着地铁呼啸着从前方驶过来，夹在人群中茫然地上车。想起来自己是爱过她的。甚至记得初见她时，她的笑容。但是当她硬要他接受孩子的尿布或可以放肆地指责他的时候，他想起自己的生活里，应该有自由。

可是有什么是我们能够坚持下去的呢，他想，如果生命是一场幻觉，别离或者死亡是唯一的结局。

公司的裁员名单终于发布，而他被告知升任部门的经理。上司轻拍他的肩头，说，你是否感觉有些疲倦，你可以申请短期的休假。

下班的时候，他突然感觉无望。一个爱过的女孩要嫁人了，一些人失业了，而他自己，是一架欲罢不能的商业机器，被物质和空虚驱使着，无休止地操作。坐在酒吧的吧台边，他拉开领带，把药片混在whisky里喝了下去。非常想打个电话给任何一个可以交谈的人。一个女孩轻轻坐到他的身边，他闻到她的香水，她看过去未满二十岁，却有一双憔悴的眼睛。

Hi，一个人吗？她暧昧沙哑的声音，手无声地搭到他的腿上。

他看着她，他只说了一个字，滚。

他抓起西装，走向地铁车站。

站台上，一个流浪的小孩向他乞讨。他给了小孩仅剩的硬币，换回来一朵皱巴巴的白色百合。一对情侣在旁若无人地亲吻。人应该有爱情。陷入爱情的人，会不容易感冒，会更健康。那个女孩的脸清晰地浮现。她只出现在他的深夜里，像一幕孤独电影的场景。他从来没有抚摸过她的肌肤，没有听到过她的声音，但是伸出手的瞬间，他感觉到她柔软的布裙轻轻从指尖掠过。他想把自己的脸埋入她海藻般的长发里，他想和她倾诉。

他第一次走到那栋相邻的公寓楼下面。夜不是太深，天下着冷雨。在白天，她的阳台永远都是窗幔深垂。也许她是深居简出的人，如果她不在，他想把那朵百合插在她的门把手上。也许他会要她。他的脑子里再次闪现出她的笑容。无数个夜晚，他们在黑暗中彼此观望。她是他唯一的安慰，在内心的深处。

十七层。只有两户人家。他站在那扇应该是正确的门前，按响了门铃。很久，没有任何应答。她就在他触手可及的一个范围里，他想，如果他能再有一点点时间。他耐心地又一次按着门铃。身后传来轻轻的开门声，他回过头去。

这户人家是空的，一个女人在门后冷淡地看着他。

空的?

是的，从我家搬过来后，这扇门就从没有开动过。她的眼神带着一点点的惊慌。据说是以前有人从那个阳台跳楼，死了。她轻轻地又把门关上。

寂静。在下降的电梯里，他感觉到微微的晕眩。也许是烈酒把药物的药性加强了。再次感觉到女孩温暖的笑容，无声地向他靠近。发丝轻轻滑过他的嘴唇，布裙散发清香，他感觉着痛楚。从口袋里掏出药瓶，在手心里又倒出几颗白色药片，把它们吞了下去。听见血管里突突的跳动声音。当雨点打上他的眼睛，也许这是唯一真实的东西。

第二天的晚报，刊登了一则短短的社会新闻。单身男子，服用过量某新型抗抑郁药物，导致昏迷。三十二岁，外企职员。被发现后送入医院。病情待定。据检查，此男士有深度抑郁症状及神经幻觉功能失调。

一个人的夜晚

每年的圣诞节，在这个南方的城市里都是不下雪的。她很奇怪自己会在这样的夜晚，独自出去看一场电影。坐在公车上时，看见街上商店的橱窗都用粉笔画出了英文和雪花。Merry Christmas还有翠绿的圣诞树，挂着小天使和铃铛。行人却是稀少的，快乐的party也许会持续到深夜吧。下车之前，她对着车窗玻璃，掏出口红，轻轻地涂抹。Hi，她对玻璃上的那张脸微笑。

电影院里空荡荡的。钢琴课。新西兰导演的作品。当旋律像水流一样倾泻出来的时候，她把自己轻易地坠落在里面。蓝色的潮水在暮色中翻涌，天空的色彩是模糊的，深紫和橙黄交织在一起。钢琴被孤独地遗留在沙滩上。她突然哭了。她看到了身边隔了一个位置的男人，转过头凝视她。她用手指挡着自己的眼睛，对他说，对不起。

男人说，你喜欢这场电影吗。那时散场的灯光已经亮起。她说，是的。男人穿一条深烟灰的灯芯绒裤子，干净的短发和眼睛。他说，圣诞节的晚上，人们都会做些什么呢。也许我们该去教堂听赞美诗。

走在街上。天空下一点点细而寒冷的雨丝。在桥上，她俯下身去看江水上起伏的霓虹光影。风把她的发梢吹起来。她大声地叫着。江边停泊着外地的渔船。她说，我常常幻想一只船会把我带到很远的地方去，不会回来。

他说，想到哪里去。

不知道，没有方向。

教堂里挤满了人。在一块黑板上，他们看见手抄的一段话，神啊，我的心切慕你，如鹿切慕溪水。她说，这是《诗篇》第四十二篇里的句子。

在人群里，听到教堂的手风琴和合唱的声音。宁静的歌声充满虔诚。她没有祈祷。她告诉他，在她童年的时候，外婆常常带她去镇上的教堂做礼拜。吃饭和睡觉之前都要做祷告。晚上，外婆坐在床边唱赞美诗。一首一首地不停地唱。可是一直到现在，我还只是喜欢阅读圣经而不祈祷。有些人的灵魂得不到他想要的依靠。

他在喧杂的人声中，俯下头认真地看着她的眼睛。她说，我还会背一段给你听。

她没有告诉他，在很长的一段时间里，她都是要读一段圣经才能入睡。无眠的深夜，往事翻涌。害怕分开的那个人打来电话，告诉她他依然想和她在一起。可是她要看着自己的心一点一点地熄灭下去，渐渐地就变成冰冷的尘烟。

不知道为什么，发现自己很难长久地爱一个人。她对他说，很难的事情吗。如果这个男人只是让你感觉更加孤独无助，你只想离开他。一个人走得很远。

一个人去南京的时候，在玄武湖边看银杏树金黄的落叶在风中飘飞如雨。那时想身边有个人，什么也不想说，只是在一起看着就好。在紫金山的海底世界，她看一种远古时就有的鱼。硕大诡丽的鱼，在阴暗的洞穴里游移。她贴在玻璃上，凝望了很久。

那时我觉得我的爱情就是这样的一条鱼，丧失掉任何的语言，是宿命的孤独。她对他笑着说，眼泪却流下来。他伸出手去，抓住她想挡住眼睛的手指。

他们去了一个小小的酒吧。他给她热咖啡和烟。他有一双敏锐的眼睛，凝视人的视线很执著。她不知道他为何一直陪在她的身边，就像她不知道自己为何在对他倾诉。

他要了酒。他们并肩坐在吧台边，一直在交谈。他发现她抽烟很凶。她说，这是她写不出文字时养成的习惯。像我们这种写字的人，她说，时间长了，就不知道是自己在玩文字，还是文字在玩自己。最穷的时候，身边只能搜出几块硬币。没有钱坐公车，只能走一小时的路回家。习惯了生活的窘迫和混乱。有了稿费会去商店，很快挥霍一空。

深夜写稿的时候，有时觉得整个人会废掉。脑子中一片空白。很多人不喜欢这些颓废苍白的文字。生存是困难的。像我这样喜欢躲在被窝里听punk音乐的人，得学会习惯收拾自己的自尊，可是又无法低价拍卖自己的灵魂。

想过嫁人吗。

想过，但是嫁给谁呢。相爱的两个人是注定无法平淡地继续一生的，不搞得生离死别不会罢手。而和一个不爱的人在一起，会比独自一个人时更孤独。有时想，嫁个有钱的男人吧。我是谋生能力非常差的人。自己很难养活自己。如果没有工作。但是我可以看上他的钱，他可以看上我什么呢。

她自嘲地笑起来。她很会笑，笑容灿烂，眼睛会笑得皱皱的。或者可以同居，他可以像收留一只小猫一样地养我，每天三顿饭就可以。

他听着她。他说，你让我想起我大学时认识的一个女孩。和你一样的敏感和灵异。可是她后来死了。这个世界不合她的梦想。可是事实上，这个世界几乎不合所有人的梦想。只是有些人可以学会遗忘，有些人却坚持。

他们到角落里跳舞。她脱掉了毛衣，穿着一件纯白的衬衣。是一首低回不已的blues。他在阴影中俯下脸亲吻她的发丝，然后滑过她花瓣一样的脸颊，触及她的嘴唇。她的身上混杂着烟草，咖啡和香水的气息。她抬起明亮的眼睛。这是他们邂逅以后的第七个小时，身体的抚慰是简单而温暖的，在酒吧角落里，他们沉默地相拥。

他说，我从北方过来出差的。明天就得回去。

我知道，她说，我们是没有未来的人。不断地寻找，不断地离开。

走出来的时候，发现外面下起了雪。地上已经有一层薄薄的积雪。而夜空中大朵大朵的雪花，几乎是激烈地，在寒风中弥漫了整个城市。这时江边的钟楼敲响了十二点。在最后的钟声即将消失之前，他把她拥入怀中。

圣诞快乐。他对她低声地说，再次亲吻她。雪在头发上融化，顺着发梢流下来。仿佛泪水。

她说，我们会一个人走到地老天荒吗。

不会。会有很多的往事，很多的记忆。即使没有结局。

等到你老的时候，你会想起有一个夜晚。和一个南方的女孩。去教堂听赞美诗，在酒吧跳舞。大街上好大的雪。你们不断地亲吻。

是，他们都笑起来，他再吻她。她给他看她嘴唇上的淤血。是他吻过以后留下的。

他说，疼吗。

过几天就会好，她说，时间不会给我们留下任何伤口，放心。

我可以带你到很远的地方去，他突然说，虽然我并不有钱。可是会有三顿饭给你。

不要许下任何诺言，请你。

她伸出食指，放在唇上，对他示意不要再问下去。然后快乐地尖叫着，向前面跑过去。

他们一直走到市区中心的广场。喷泉的雕塑，荒凉的树林。空空荡荡的没有一个人。

她说，有时候从市立图书馆出来，我会在这里坐上一下午。看看蓝得透明的天，洒满灿烂的阳光，什么也不想。

什么也不想的状态？

是。好像沉在一条河的底层。感受时光像水一样地流过去，流过去。但是在很多陌生人的地方，我常常以为会有一个人出现。对我说，他要带我走。每一次，在独自出去旅行的时候，一个人在车站，机场，码头，任何一个地方，我都感觉到内心的期盼。想不再回来。想一个城市一个城市地漂泊下去。永无止境。

一个下午，我在这里看见一个男人。他坐在樱花树下。旁边放着画报，一纸袋的糖炒栗子和矿泉水。他仰起头看城市上空盘旋的鸟群。我看见他微笑时的眼睛和牙齿。我感觉他是那个可以带我走的人。我一直凝视着他直到他起身离开。他穿一件浅褐色的布衬衣，在人群里轻轻地一晃就不见了。我知道他把我遗留在了这里，甚至没有对过一句话。

她低下头微笑。

他们在广场里漫无边际地行走。雪好像要把整个城市淹没掉，天空渐渐变得灰白，黎明曙光隐隐透出。他们再次亲吻。她嘴唇上的小伤口又裂开，猩热的血染在他的唇上。

在倾斜的街角，
我们颓然地拥抱。
没有一只鸟飞过，
过问破碎的别离。

她轻声地念诗给他听。她说，我还不想和你说再见，可是我们该告别了。

他点头，他的发梢不断滑落雪花融化的水滴，一夜的无眠和寒冷使他脸色苍白。能告诉我你的名字吗，他说。

看看我的眼睛吧，只要记住我的眼睛，直到你变老。她仰起脸。

他对她挥挥手，消失在广场的樱花树林后面。在大雪纷飞的夜里，在空荡荡的城市街道上。

她想他会带着她整夜的倾诉和眼泪，回到他遥远的北方，然后渐渐地在时光中淡忘，直到完全遗忘。

带着微微的醉意，她在车站赶上第一班凌晨的公车。黎明初醒的城市，雪刚刚停息。早起晨练的人们开始走动。尘烟拉开序幕。没有人知道一整夜里的大雪，曾如何涌动。

如风

罗是我在网上认识的第一个男人。那年八月，我买了电脑，开始写最初的一些散淡文字。第一篇比较成形的文章是女孩的一段生活，写的大略是一些零落心情。晚上上完夜校去喝豆浆，听买来的爱尔兰音乐CD，以及独自去爬山。爱尔兰的钢琴音乐，伴有风琴，竖琴和吉他，很美，像清凉的水滴，一点一点坠落在心里。常常漫不经心地听着它。

里面好像有这样的句子，贴在新闻组上面。罗是第一个写E-mail给我的人，他用简洁的英文问我，是否是我自己写的，他很喜欢。然后在又一封信里，他说，他看的时候心里有些疼痛。他是大学里面教工科的教授，自己兼职做外商的代理。比我大十一岁。

我们成为朋友。他要求我每写一篇东西都E-mail给他一份，但我常常忘记。然后秋天的时候，他来我居住的城市出差，执意要送几盘他从德国带来的CD给我。在他居住的酒店下面我给他打了电话，我说，我还是不喜欢这样的事情。见面似乎没有什么意义。罗说，那你可以拿了CD就走。我只想送这些CD给你。

见面的那一天。罗的身上兼具知识和商业的气息，衣着讲究，喜欢男用的Dune香水，讲话时夹杂英文。做外贸多年，是有些西化的中年男人。聊了很多。罗对我谈起他大学时暗恋的一个女孩，突然眼中泪光闪动。然后他走进卫生间里，用冷水洗脸。很久才出来。我安静地看着他，我们之间放着两杯透明的白开水。

两个小时后我和罗在酒店门口告别。在taxi里面，我叫司机帮我放一盘CD听听。里面是激烈的摇滚。我才想起，在我写的一篇小说里，我描写过摇滚。小说里的女孩喜欢一边听摇滚一边暗无天日地写字。喧嚣的音乐在夜风中一路飘散，街上铺满枯萎的树叶。

圣诞节的时候，我们又见了一次。罗从杭州寄圣诞礼物给我，是一套Christian Dior的化妆品。大大的纸盒子用EMS寄到我的单位，里面有一张小小的卡片。罗说，希望那天能和你一起去教堂。

我不知道可以回送他什么。一个人在百货公司逛了很久，最后挑了一双纯羊毛手套，烟灰色的。是按照自己喜欢的品味，然后把它寄给了罗。

那个夜晚非常寒冷。我们一路走到教堂，大街上的霓虹倒映在江水里，像漂流的油画颜料。教堂的人很多，我们站在门口听了一会儿赞美诗，然后转身离开。罗在路上大概地对我说了一下他的婚姻，还谈起他在四川读研究生时对峨眉山的怀念。他说，他最大的愿望是赚够钱后，去幽静的山野隐居。

他的天性里有脆弱而温情的成分，区别于一般做贸易的男人。和他的交往，我维持着距离。因为自己的性格，并不喜欢任何深切热烈的关系。这份感情松散低调，又有点漫不经心。

有时我们在电话里聊天。有时罗写手写的信给我。

他在出差的路途中写或长或短的信给我。在火车或飞机上。在酒店里。甚至在候车室里。罗的字写得很漂亮，签名是流利的英文。印象深刻的是其中一句，罗说，这个世界不符合我的梦想。后来有多次，我把它写在我的小说里面。

冬天快过去的时候，罗说他接受了一家大集团的邀请，准备来我的城市工作，出任集团所属外贸公司的老总。我感到有一点点突然。

罗陪着他的法国客户来我的单位办事，我们再一次见面。他穿着一件黑色的风衣，人非常清瘦。我说，你看过去很锐气的样子。罗说，我感觉心里安定下来。也许对罗这样的男人来说，虽然面临中年，心里装的仍是一半现实一半幻想，也是注定漂泊的人。

虽然在同一个城市里，但我们依然很少见面。他的工作非常忙碌。而我向来懒散，从不写E-mail给他，更不用说给他回手写的信。他常常要上网和客户联系，深夜下网时打电话给我，我总是睡意深浓，没有耐性听他说话。

去过他住的地方两次。每次他都亲自下厨做饭给我吃。罗的菜做得很出色，单位分给他很大的房子住。我们在空荡荡的客厅里吃饭，然后我看一下午的DVD，有时看着看着就睡着了。醒来的时候，罗还在客厅用手提电脑写E-mail给客户。而天色已经转黑，他穿着棉布的睡裤，光着脚工作。

一直我都觉得我是个孤独的人，很少和别人沟通，觉得自己的心老得很快，也不相信别人，平淡寂静。所以能够和一个比我大十一岁的中年男人相处。

我不曾想过会和罗恋爱。二十岁以后会随意地喜欢别人，但不会爱。认识很久了，罗表现出来的尊重符合他的身份。过马路的时候，他的手悬在我的背上，保护的，爱怜的，但是不放下来。

春节的时候，我去大连。罗开车时出了车祸。他在病房里打手机给我。我说你是否要我过来看你。罗说不用。他的情绪有些压抑。

然后有一个深夜，他突然打电话给我，没有说任何语言，在那里哭了约十分钟，是男人崩溃的哭泣声音。我沉默地拿着听筒，一言不发。然后等他平静下来的时候，叫他洗脸睡觉。感觉到男人内心深处隐藏的脆弱和无助并没有让我吃惊。可是我不知道该如何安慰他。

于是就没有安慰。

把《暖暖》寄给他的时候，罗说我文字里阴郁的东西已经要把人摧垮，所以他不再看我写的任何东西。也是那一段时间，罗预感到我也许会做出生活的重大决定。所以当我对他说，我准备辞职去另一个城市做自己喜欢的广告业，罗的表情并不惊奇。他说，你是一定会走的，我知道。

最艰难的一段日子。对恐惧和压力我的神情冷淡，心里却一刻也不曾停止，告诉自己一定要挺住挺住再挺住。作为一个女孩，我知道自己与别人不同。我在做一个与生活冒险的游戏。生活要我付出的代价，会比我想象中的更多。可是我无法停止。生活的停顿与死亡并无区别。与停顿生活抗衡的同时，也在和死亡游戏。一再地感觉无路可走，所以一再地前行。

第一次主动给罗打电话。不喜欢一个所谓的朋友，好奇地探究我的心情。但是希望能有个人，安静地陪伴着渡过难关。在心里压抑了这么久，再见到罗，依然无言。

我们去了一个据说很灵验的庙里求签。天气非常炎热，罗满脸是汗。我们一直坐车赶到郊外。在阴暗幽凉的寺庙里，我再次想到宿命。门外明亮的阳光灿烂，湖光山色，空阔自由。虽然不知道追寻的生活会在何处，但是总是要不断前行。

求完签后，我把那张写着诗句的白纸烧掉了。罗和我一起，去田野里散步。我们看到纯蓝的天空和湖水，大片开出美丽花朵的棉花，散发出清香的橘子树和蔓延的浮萍。我们不断地聊天。我对罗说，我很喜欢飞机起飞的那个时刻，加速的晕眩里心里有无限欢喜。罗看着我，他的眼光突然疼痛。

中午的时候，我们去菜场买菜，然后他借我喜欢的恐怖片。罗在厨房里做饭，我看着看着又睡着了。迷糊中突然浑身出汗，觉得自己是一个人在异乡的房间里醒来，远离父母，生活奔波流离，也不再见到曾经爱过的人。在已经光线黯淡的房间里，忍不住掉泪。罗在房门外默默地站了一会儿，然后走开。

两个人安静地吃晚饭。罗的妻子和女儿打电话过来，罗用温和忍耐的语气应对。一个男人独自在异乡孤独生活，靠工作来麻醉自己。我记得他电话里的哭泣，在情绪崩溃的时候，罗也许手足无措。但我不知道该如何安慰，所以只能沉默相对。我劝他，不如离婚，重新开始生活。罗说，算了。

他摆了摆手。他说，只要在工作，他就不会被内心的孤独感摧毁。他说，他抗争了很久，已经累了。不像我。我还年轻，有大把的时间。

空荡荡的房间，一个人的生活。孤独像空气无从逃避。罗的眼神一贯忧郁。而我，我只是惧怕生活的麻木把我淹没。只能一次次奋力地跃出海面，寻求呼吸。宁可被捕捉。不愿意被窒息。

送我回家的途中，下起很大的雨。秋天的寒意一天天加深。是我喜欢的季节。大雨中，我们走过巷子去大路上拦出租车，雨水冰凉。罗说，答应我不要一个人走。我说不会，会有人接或会有人送。很多东西都不能带走。但会记得带上那几盘德国CD，不管我在哪一个城市。

你走了以后也许我也该离开这个城市了。罗在夜色中安静的声音。我说，去哪里。罗无言。然后他说，你送我的手套我一直都没有用。一生都不会用它。

坐在出租车里面，罗隔着玻璃窗对我摆手。雨水模糊了他的面容。我安静地看了他一分钟，然后用淡然的口吻叫司机开车。

交换

那年他十九岁，在阿姨家里度过他唯一的一次南方假期。她是邻居的女孩。继母对她不好。他第一次见到她。她穿着裙子，脸上有红肿的手指印，满脸泪水却神情冷漠。他蹲在她的面前，他说，你喜欢小狗吗。他把自己捡来的一条白色小狗放在竹篮里给她看。

他说，你笑一笑，我就把它送给你。

他给了她一段快乐温暖的时光。带她去钓鱼，捉蝴蝶，看着她的笑容烂漫无邪。

她生日的那天，他带她去逛夜市，送给她一枚红色的蝴蝶发夹。他说，你要相信自己，有一天，你会像一只蝴蝶一样，飞到自己想去的地方。一个月后，他动身去北方。在火车站里，她抱着小狗不肯离开。喧嚣的站台上，他把头探到车窗外向她挥手。她踮着脚，认真地问他，如果我长大以后，我可不可以嫁你。火车已经开动。他微笑着哄她高兴，他说，可以。

然后火车驶出了南方的小站，她孤单地跟着火车奔跑，终于追不上。

那一年，她是八岁。

一直到他大学毕业，开始上班，他没有再回到过南方。她始终写信给他。从小学生的稚嫩字体开始。一笔一画地告诉他，她和小狗的生活。他从来不回信，只在她生日和新年的时候，寄给她漂亮的卡片。上面写着祝小乖和小蓝健康快乐。小乖是狗的名字，蓝是她的名字。

三年以后，小乖生病死去。她在信里对他说，小乖已经离开我，但我心里的希望还在。虽然我知道我不会有蝴蝶的翅膀，可是一定会去自己想去的地方。

然后有一年假期，她告诉他她要去北京。他们整整七年没有相见。

他在火车站里等她。从拥挤人群里出现的女孩，穿着白裙，眼睛漆黑明亮。他带她去酒店吃饭，同行的是祺，他的未婚妻。他陪她去故宫，在幽暗的城墙角落里，他问她，你喜不喜欢祺。她说，祺美丽优雅，是个好女孩。在午后阳光下，她微笑看着他。

她平静地在北京过了一个星期。准备回南方继续高中学业。临行前夜，她轻声询问他，如果你以后离婚，我可不可以嫁你。他困倦想睡，迷糊地说，可以。清晨，她不告而别，独自南下。

婚后的日子平淡如水。祺两年后去美国读书。准备不久把他也接出去。他辞退了公职，开了一家小小的酒吧，准备打发掉在国内的最后日子。他把自己的酒吧叫做Blue。他还是不断地收到她的信。她说她很快要毕业了，如果考不上北京的大学，就准备放弃学业，来北京工作。他说，我过一两年就要走的。她说，没关系。只要还有剩下的时间。

再次见面的时候，她十九岁，而他三十了。他们同居了一年。直到他的签证下来，准备出国和祺相聚。他把Blue留给了她。他说，你可以在北京嫁人。以后我还会回来看你。她说，我会在北京等你，但不嫁人。她依然写信给他，一封又一封。而他，也依然只在她生日和新年的时候，寄喜欢的卡片给她。

他一去就是五年。直到和祺离异，事业也开始受挫。他准备再回国发展。在Blue门口，看到吧台后的女孩，依然穿一袭简朴的白裙。她看过去苍白而清瘦。她说，你回来了。她淡淡地微笑。可是我生病了。

她的病已经不可治。他陪着她，每日每夜。他读圣经给她听。在她睡觉的时候，让她轻轻地握着他的手指。有阳光的日子，他把她抱到病房的阳台上去晒太阳。她说，如果我病好了，我可不可以嫁你。她的心里依然有希望。他别过脸去，忍着眼泪回答她，可以。

拖了半年左右，她的生命力耗到了尽头。那一天早上，她突然显得似乎好转。她一定要他去买假发。因为化疗，她所有的头发都掉光了。她给自己扎了麻花辫子。那是她童年时的样子。然后她要他把家里的一个丝缎盒子搬到病房。里面有他从她八岁开始寄给她的卡片。

每年两张，已经十六年。她一张张地抚摸着已经发黄的卡片，和上面模糊不清的字迹。这是他离开她的漫长日子里，她所有的财富。

终于她累了。她躺下来的时候，叫他把红色的蝴蝶发夹别到她的头发上。她问他，如果还有来生，我可不可以嫁你。他轻轻地亲吻她，他说，可以。

他曾经用一条白色的小狗来交换她的笑容。然后她用了一生的等待来交换他无法实现的诺言。

七月与安生

七月第一次遇见安生的时候，是十三岁的时候。新生报到会上，一大堆排着队的陌生同学。是炎热的秋日午后，明亮的阳光照得人眼睛发花。突然一个女孩转过脸来对七月说，我们去操场转转吧。女孩的微笑很快乐。七月莫名其妙地就跟着她跑了。

很久以后，七月对家明说，她和安生之间，她是一次被选择的结果。只是她心甘情愿。

虽然对这种心甘情愿，她并不能做出更多的解释。

我的名字叫七月。当安生问她的时候，七月对她说，那是她出生的月份。那一年的夏天非常炎热。对母亲来说，酷暑和难产是一次劫难。可是她给七月取了一个平淡的名字。

就像世间的很多事物。人们并无方法从它寂静的表象上猜测到暗涌。比如一个人和另一个人的相遇，或者他们的离别。

而安生，她说，她仅仅只证实到自己的生命。她摊开七月的手心，用她的指尖涂下简单的笔画，脸上带着自嘲的微笑。那是她们初次相见的景象。秋日午后的阳光在安生的手背上跳跃，像一群活泼的小鸟振动着翅膀飞远。

那时候她还没有告诉七月，她是个没有父亲的孩子。她的母亲因为爱一个男人，为他生下孩子，却注定一生要为他守口如瓶。七月也没有告诉安生，安生的名字在那一刻已在她的手心里留下无痕的烙印。

因为安生，夏天成为一个充满幻觉和迷惘的季节。

十三岁到十六岁。那是七月和安生如影相随的三年。有时候七月是安生的影子。有时候安生是七月的影子。一起做作业。跑到商店去看内衣。周末的时候安生去七月家里吃饭，留宿。走在路上都要手拉着手。

七月第一次到安生的家里去玩的时候，感觉到安生很寂寞。安生独自住一大套公寓。她的母亲常年在国外，雇了一个保姆和安生一起生活。安生的房间布置得像公主的宫殿，有满满衣橱的漂亮衣服。可是因为没有人，显得很寒冷。七月坐了一会儿就感到身上发抖。安生把空调和所有的灯都打开了。她说，她一个人的时候常常就这样。然后她带七月去看她母亲养的一缸热带鱼。安生丢饲料下去的时候，美丽的小鱼就像一条条斑斓的绸缎在抖动。

安生说，这里的水是温暖的。可是有些鱼，它们会成群地穿越寒冷的海洋，迁徙到辽阔的远方。因为那里有它们的家。安生那时候的脸上有一种很阴郁的神情。

在学校里，安生是个让老师头疼的孩子。言辞尖锐，桀骜不驯，常常因为和老师抢白而被逐出教室。少年的安生独自坐在教室外的空地上，阳光洒在她倔强的脸上。七月偷偷地从书包里抽出小说和话梅，扔给窗外的安生。然后她知道安生会跑到她的窝去看书。

那是她们在开学的那个下午跑到操场上找到的大树。很老的樟树，树叶会散发出刺鼻的清香。安生踢掉鞋子，用几分钟时间就能爬到树杈的最高处。她像一只鸟一样躲在树叶里。晃动着两条赤裸的小腿，眺望操场里空荡荡的草地和远方。七月问她能看到什么。她说，有绿色的小河，有开满金黄雏菊的田野，还有石头桥。一条很长很长的铁轨，不知道通向哪里。

然后她伸手给她，高声地叫着，七月，来啊。七月仰着头，绞扭着自己的手指，又兴奋又恐惧。可是她始终没有跟安生学会爬树。

终于有一天，她们决定去看看那条铁路。她们走了很久很久。一直到暮色迷离，还没有兜到那片田野里面。半路突然下起大雨。两个女孩躲进了路边的破茅草屋里。七月说，我们还是回家吧。安生说，我肯定再走一会儿就到了。我曾发誓一定要到这段每天都能看到的铁路上走走。

于是大雨中，两个女孩撑着一把伞向前方飞跑。裙子和鞋子都湿透了。终于看到了长长的铁轨。在暮色和雨雾中蔓延到苍茫的远方。而田野里的雏菊早已经凋谢。

安生的头发和脸上都是雨水。她说，七月，总有一天，我会摆脱掉所有的束缚，去更远的地方。七月低下头有些难过。她说，那我呢。安生说，你和我一起走。她似乎早替七月做好打算。

初中毕业，十六岁。七月考入市里最好的重点中学。安生上了职业高中，学习广告设计。

七月成为学校里出众的女孩。成绩好，脾气也一贯的温良，而且非常美丽。她参加了学校的文学社。虽然作文常常在比赛中获奖，但是她知道真正写得好的人是安生。她们曾借来大套大套的外国小说阅读，最喜欢的作家是海明威。只是安生向来不屑参加这些活动。而且她的作文总是被老师评论为不健康的颓废。

没有安生陪伴的活动，七月显得有些落寞。文学社的第一次会议，七月到得很早。开会的教室里都是阳光和桂花香，有个男孩在黑板上写字。七月推开门说，请问……然后男孩转过脸来，他说，七月，进来开会。他的笑容很温和。

苏家明是七月十六岁以前包括以后看到过的，最英俊的男人。

七月开完会忍不住对安生说，你喜欢什么样的男人。安生说，我不会喜欢男人。有人说，除非你非常爱这个男人，否则男人都是难以忍受的。她一边说一边拿出烟来抽。安生已开始去打工。她对学习早就丧失了乐趣。

她去麦当劳做计时工，去酒吧做服务生找老外聊天，去美院学习油画。她迫不及待地想摆脱掉寂寞的生活，只想不断地经历生命中新鲜的事物和体验。为了和一帮美院学生一起去山区写生，她逃了学校一个月的课。学校因此要把安生开除。

安生的母亲第一次出现。摆平安生惹下的祸，还专门和七月见了面。她穿缝着精致宽边的缎子旗袍，戴着小颗钻石耳针，说话的声音很娇柔。她说，七月，你们两个要好好在一起。我马上要回英国，你要管住她。七月说，安生会很希望你陪着她，为什么你不留下来。她微笑着轻轻叹了口气，很多事情并不像你们小孩想的那么自由。

七月不明白。她只觉得安生寂寞，安生每次到她家里来都不肯走。一起吃饭，一起睡觉。她喜欢屋子里有温暖的灯光和人的声音。七月家里有她父母弟弟一共四个人，安生对每个人都会撒娇。

七月看着安生的母亲。觉得她很像安生的房间，空旷而华丽。而寒冷深入骨髓。

那天夜晚，七月在家里，和父母弟弟一起吃饭，感到特别温情。她想，她拥有的东西实在比安生多。她不知道可以分给安生一些什么。晚上下起雨来，七月修改校刊上的文章，又模糊地想起阳光和桂花香中那张微笑的脸。家明很喜欢她，周末约了她去看电影。也许安生能爱上一个人也会好一些。

深夜的时候，七月听到敲门声。她打开门，看到浑身淋得湿透的安生，抱着双臂靠在门框上。她走了。安生面无表情地对七月说。搭的是晚上的飞机。

七月给安生煮了热牛奶，又给她放热水，拿干净衣服。安生躺下后，一言不发地闭上眼睛。七月关掉灯，在安生旁边慢慢躺下来，突然安生就紧紧地抱住了她。她把头埋在七月的怀里，发出像动物一样受伤而沉闷的呜咽，温暖黏湿的眼泪顺着七月的脖子往下淌。七月反抱住她。好了，安生乖。一切都会好的。我们会长大的，长大了就没事了。

七月说着说着，在黑暗中也哭了。

七月和家明去看电影。看完走出剧院以后，想起来安生曾对她说，她在附近的Blue酒吧做夜班。家明，我们去看看安生。七月曾对他提起过自己最好的朋友。家明说，好。他在夜风中轻轻把七月的手放在自己的大衣口袋里。两个人都是安静温和的人。所以即使在重点中学里，老师也没有什么意见。因为都是成绩品性优良的学生。

远远看到Blue旧旧的雕花木门。一推开，震耳欲聋的音乐和呛人的烟草味道就扑面兜过来。狭小的舞池挤满跳舞的人群。还有人打牌或聊天。七月牵着家明的手挤到圆形的吧台边，问一个在调酒的长头发男人，请问安生在吗。男人抬起脸冷冷地看了七月一眼，然后高声地叫，Vivian，有人找。然后一个女孩就从人群里钻了出来。

阴暗的光线下，七月差点认不出来这就是安生。一头浓密漆黑的头发扎成一束束的小辫子，发梢缀着彩色的玻璃珠。银白的眼影，紫色的睫毛膏，还有酒红的唇膏。穿着一件黑色镂空的蕾丝上衣，紧绷着她美好的胸脯。安生先看到家明，愣了一下。然后对七月笑着说，我们来喝酒吧。

加冰块的喜力，家明喝掉了一瓶。然后他问安生，觉得逃课一个月去写生快乐吗。

安生说，我们在茫茫野地中生火煮咖啡。在冰凉的溪水中洗澡。晚上躺在睡袋里看满天星斗。那一刻，我问自己，活着是为了什么。看着漫天繁星的时候，我会以为生命也许就是如此而已。回来后画了油画星夜。画布上有深深的蓝，和掉着眼泪的星斗。有人问我一百块钱卖不卖。我说卖。为什么不卖。它到了一个看得懂的人的手里，就是有了价值。

安生说完看着家明。她说，家明，你的眼睛很明亮。家明笑了。

把七月送到家门口以后，家明说，安生是个不漂亮的女孩，但是她像一棵散发诡异浓郁芳香的植物，会开出让人恐惧的迷离花朵。

七月生日的时候，家明想带七月去郊外爬山。七月说，每次生日安生都要和我在一起的。家明说，我们当然可以和安生在一起。

安生很快乐地和七月家明一起，骑着破单车来到郊外。爬到山顶的时候发现上面有个小寺庙。阳光很明亮。那天安生穿着洗得褪色的牛仔裤和白衬衣，又回复她一贯的清纯样子。家明和七月都穿着白色的T恤。安生提议大家把鞋子脱下来，光着脚坐在山路台阶上让相机自拍，来张合影。大家就欢欢喜喜地拍了照片，然后走进寺庙里面。

这里有些阴森森的。七月说。她感觉这座颓败幽深的小庙里，有一种神秘的气息。她说她累了，不想再爬到上面去看佛像。我来管着包和相机吧，你们快点看完快点下来。

家明和安生爬上高高的台阶，走进阴暗幽凉的殿堂里面。安生坐在蒲团上，看着佛说，他们知道一切吗。家明说，也许。他仰起头，感觉到在空荡荡的屋檐间穿梭过去的风和阳光。然后他听到安生轻轻地说，那他们知道我喜欢你吗。

七月看到家明和安生慢慢地走了下来。她闻着风中的花香，感觉到这是自己最幸福的一刻。她心爱的男人和最好的朋友，都在她的身边。很多年以后，七月才知道这是她最快乐的时间。只是一切都无法在最美好的时刻凝固。

家明，庙里在卖玉石镯子。七月说，我刚才一个人过去看了，很漂亮的。安生说，好啊，让家明送一个。只剩下两个了。一个是淡青中嵌深绿的，另一个是洁白中含着丝缕的褐黄。家明说，七月你喜欢哪一个。七月说，也要给安生买的。安生喜欢哪一个。

安生看看，很快地点了一下那个白色的，说，我要这个。

她把白镯子戴到手腕上，高兴地放在阳光下照。真的很好看啊，七月。七月也快乐地看着孩子一样的安生。我还想起来，古人说环佩叮当，是不是两个镯子放在一起，会发出好听的声音。走了一半山路，安生又突发奇想。来，七月，把你的绿镯子拿过来，让我戴在一起试试看。安生兴高采烈地把七月取下来的绿镯子往手腕上套。就是一刹那的事情。两个镯子刚碰到一起，白镯子就碎成两半，掉了下来。山路上洒满白色的碎玉末子。

安生愣在了那里。只有她手上属于七月的绿镯子还在轻轻摇晃着。家明脸色苍白。

七月，我要走了。安生对七月说，我要去海南打工，然后去北京学习油画。

秋天的时候，安生决定辍学离开这个她生活了十七年的城市。她说，我和阿Pan同去。

阿Pan想关掉Blue，是那个长头发的男人？七月问。是。他会调酒，会吹萨克斯风，会飙车，会画画。我很喜欢他。安生低下头轻轻地微笑。

一个男人，你要很爱很爱他，你才能忍受他。那你能忍受他吗。

我不知道。安生拿出一支烟。她的烟开始抽得厉害。有时候画一张油画，整个晚上会留下十多个烟头。可是安生，你妈妈请求过我要管住你。七月抱住她。

关她屁事。安生粗鲁地咒骂了一句。她的存在与否和我没有关系。安生神情冷漠地抽了一口烟。我恨她。我最恨的人，就是她和我从来没有显形过的父亲。

七月难过地低下头。她想起小时候她们冒着雨跑到铁路轨道上的情景。她说，安生，那我呢。你会考上大学，会有好工作。当然还有家明。她笑着说，告诉我，你会嫁给他吗。七月？

嗯。如果他不想改变。七月有些害羞，毕竟时间还有很长。

不长，不会太长。安生抬起头看着窗外。我从来不知道永远到底有多远，也许一切都是很短暂的。

安生走的那天，乘的是晚上的火车。她想省钱，而且也过惯了辛苦日子。阿Pan已经先到海南。安生独自走。安生只背了一个简单的行李包，还是穿着旧旧的牛仔裤，裹了一件羽绒外套。七月一开始有点麻木，只是愣愣看着安生检查行李，检票，上车把东西放妥。

她把洗出来的合影给安生。那张照片拍得很好。阳光灿烂，三张年轻的笑脸，充满爱情。

家明真英俊。安生对七月微笑，一边把照片放进外套胸兜里。七月就在这时看到她脖子上露出来的一条红丝线。这是什么。她拉出来看。是块小玉牌坠子。玉牌很旧了，一角还有点残缺，整片皎白已经蒙上晕黄。安生说，我在城隍庙小摊上淘的，给自己避避邪气。她很快把坠子放进衣服里面。

七月，你要好好的，知道吗。我会写信来。

汽笛鸣响了，火车开始缓缓移动驶出站台。安生从窗口探出头来向七月挥手。七月心里一阵尖锐的疼痛，突然明白过来安生要离开她走了。一起上学，吃饭，睡觉的安生，她不会再看到了。

安生，安生。七月跟着火车跑，安生你不要走。空荡荡的站台上，七月哭着蹲下身来。

该回家了，七月。匆匆赶来的家明抱住了七月。是的，家明。该回家了。七月紧紧拉住家明温暖的手。家明把她冰凉的手放在自己的口袋里，然后把她的脸埋入怀里。他的眼睛里有泪光。

家明，不管如何，我们一直在一起不要分开，好不好。七月低声地问他。家明沉默了一下，然后轻轻地点了一下头。

除了安生。安生是没有家，也没有诺言的人。七月想。只是她永远不知道可以拿什么东西给安生分享。

高中毕业，七月十九岁，考入大学学习经济。家明远上北京攻读计算机。

七月的大学在城市的郊外，平时住在学校宿舍里。周末可以回家，能吃到妈妈烧的萝卜炖排骨，生活没有太大变化。依然平和而安宁。在新的校园里，七月试着结交新的朋友。她对朋友的概念很模糊，因为很多女孩喜欢她，七月在任何地方都是好人缘的美丽的女孩。大家会一起去参加舞会，在图书馆互留位置，或者周末的时候去市区逛街，也会看场电影。

只是很平淡。像一条经过的河流。你看不出它带来了什么，或者带走了什么，它只是经过。而安生，安生是她心里的潮水，疼痛的，汹涌的。那张三人的合影，七月一直把它放在床边。阳光真的很明亮。是三年之前的阳光了。风里有花香，身边有最爱的人，七月想快乐的时光总是稍纵即逝。

家明每周会写两封信过来，周末的时候还会打电话给七月。他从没有问起过安生，但七月总喜欢絮絮叨叨地对家明说起安生的事情。她寄来信地址一换再换，家明。从海南到广州，又从广州到厦门。上次寄来的一张明信片，还是一个不知名的小镇。

她也许不知道可以停留在哪里，家明说。

我很怕安生过得不好，她这样不安定，日子肯定很窘迫。

可她没叫你给她寄钱对不对。好了，七月。你应该知道你不是安生的支柱。任何人都不是。她有她想过的生活。

七月还是很担心。有时候她在梦里看到那条大雨中的铁轨。

她想起她和安生伫立在那里的一刻，其实她心里已经有了预感。这条通向苍茫远方的铁轨总有一天会带走安生。校园里有很多的樱花树，也有很高很大的槐树。七月想，如果安生在这里，她还会踢掉鞋子，爬到树上去眺望田野吗。安生坐在大樟树最高处的树杈上。空旷操场上回旋的大风，把她的白裙子吹得像花瓣一样绽开。安生伸出手，大声地叫着，七月，来啊。她清脆的声音似乎仍然在耳边回响。七月每次想到这个场景就心里黯然。

七月，我在广州学习画画。一个人骑着单车去郊外写生，路很破，摔了一跤……

这里的Rave Party很疯狂，我可以一直跳到凌晨，像上了发条的机器一样……有一种花树，花瓣很细碎，在风中会四处飞舞。好像黄金急雨……和阿Pan分手了，我想我还是不能忍受他……给别人画广告，在高楼的广告牌上刷颜料，阳光把我差点晒晕……想去上海读书，我感觉我喜欢那个城市……我以为自己也许会永远漂泊下去了，可是永远到底有多远呢……每一封信的结尾都写着：问候家明。

七月无法写回信或寄东西给她。她的地址总是在变化中。七月的生日，第一次她寄了一大包干玫瑰花苞过来。又一次，她寄了一条少数民族的漂亮的刺绣筒裙。然后又一次，她寄自己画的油画给她。画面上是她自己的裸体，长发，变形成一条鱼，旁边写着小小一行字：海水好冷。这样安生出去已经整整三年。

又过了两年。大三的时候，七月参加学校里的辩论比赛。休息的时候大家聊起余纯顺，又聊到徒步或骑车环游世界等行为。一个男生轻描淡写地说，这些人都很矫情，表面上洒脱自由，其实内心软弱无力。他们没有适应现实社会的能力，所以采取极端的逃避态度，本身只不过是颓废的弱者。

七月突然涨红了脸。她站了起来。你不了解他们。你不了解。他们只是感觉寂寞，寂寞，你知道吗。因为愤怒，七月说话有些结结巴巴。她激烈地提高了声音。你有的东西她没有，可是你又无法给她。就像这个世界，并不符合我们的梦想。可是我们又不能舍弃掉梦想，所以只能放逐这个世界中的自己。

那天晚上，七月看见少年的安生。她穿着白裙子在树上晃荡着双腿。长发和裙裾在风中飞扬，还有她的笑脸。可是七月想，安生应该有点变了吧。毕竟现在安生已经和她一样二十二岁了。二十二岁的七月，觉得自己都有些胖了。以前秀丽的鹅蛋脸现在有些变圆。人也长高了许多。她真的非常想念安生。

就在这时，电话响起来。七月想可能是家明。接起来听，那里是沉默的。七月说，喂，请说话好吗。然后一个女孩微微有点沙的声音响了起来。七月，是我。你是谁啊。七月疑惑。

我是安生。女孩大声地笑起来。安生一路到了上海。

七月，请两天假过来看我吧。我很想你。

七月坐船到上海的时候是清晨。安生在十六铺码头等她。远远地，七月就看到一个瘦瘦的女孩，扎着两根粗粗的麻花辫，一直垂到腰，穿着牛仔裤和黑色T恤，球鞋。七月跑过去。安生站在那里对她笑。扁平的骨感的脸，阳光下荞麦一样的褐色肌肤，高高的额头。从小安生就不是漂亮的女孩，但有一张非常东方味道的脸。现在那张脸看过去有了沧桑的美。没有任何化妆。

安生你现在像个越南女人，七月笑着抱住她，我真喜欢。

但是你却像颗刚晒干的花生米，让人想咬一口。安生笑。她的眼睛漆黑明亮，牙齿还是雪白的。这是七月看到过的树上女孩的笑容。安生真的长大变样了，只有笑容还在。

安生带七月回她租的房子。她在浦东和一帮外地来的大学生合住，分摊房租。上海的租金很贵。安生说。但她还是把自己的小窝布置得很温暖。棉布的床单，桌布和窗帘。床边放着一只圆形的玻璃花瓶，插着洁白的马蹄莲。七月看到木头相框里他们的三人合影照片。

安生说，每次换地方，都不能带走太多东西。但我必须带着它。因为它是我唯一所有的。那时候我们刚认识家明。我们都很快乐对吗。家明现在好吗。安生问。

他很好，马上就要毕业了。现在西安有一家公司邀请他过去工作。他在那里实习，搞开发。

家明现在是大男人了吧，安生笑。七月从包里翻出家明寄给她的照片给安生看。家明穿着小蓝格子的衬衣，站在阳光下。他看过去总是温情干净。

安生说，他是我见过的最英俊的男人。十六岁以前是这样。十六岁以后也是这样。你带他来酒吧的那一个夜晚，他出现在酒吧里，好像让所有的喧嚣停止了声音。

嗯，而且他是个认真淳朴的好男人。

嫁给他吧，七月。等他一毕业就嫁给他。

可是他很想留在北京发展。我又不想过去。你知道的，安生，我不想离开我的父母家人，还有我们住了这么多年的城市。虽然小了点，但富裕美丽，适合平淡生活。

你喜欢平淡生活吗。

是，安生。我手里拥有的东西太多，所以我放不掉。

安生笑了笑。她一直在抽烟，她开始咳嗽。她摸摸七月的脸，七月你脸上的皮肤多好啊。

我的脸整个都被烟酒和咖啡给毁了。白天去推销公寓，只能化很浓的妆。可是我身上的皮肤却像丝缎般光滑。你看，上天给了我一张风尘的脸。它很公平。今天是周末，我们去酒吧喝点什么。安生拿出一件黑色的丝绒外套，安生，你不穿白衣服了。七月说。现在只有黑色才符合我这颗空洞的灵魂，安生笑，然后对着镜子抹上艳丽的口红。

她们去了西区一家喧闹的酒吧。安生一直喜欢这种吵闹的音乐和拥挤的人群。她要了威士忌苏打。不断地有人过来对她打招呼。Hi， Vivian. 七月看着安生手指上夹着香烟，在几个老外面前说出一连串流利的英文，然后和他们一起笑起来。七月摸着自己杯子里的冰水。突然她发现她和安生之间已经有了一条很宽很宽的河。

她知道站在河对岸的还是安生。可是她已经跨不过去了。七月看着自己放在吧台上的洁白的手指。她们的生活已经截然不同了。

一个穿蓝衬衣，戴黄领带的瘦小的中年男人挤过来，对安生笑着说了些什么。安生应了他几句，然后回来了。

准备在上海待多久，安生，七月问她。

来上海主要是想挣点钱，最近房产销售形势很好。当然还是要一路北上。然后去兴安岭，漠河看看。

不想去西藏寻找一下画画的灵感吗。

我已经放弃了画画。

为什么，你一直都那么喜欢画画。

你生日时送给你的画是我的终结。这片寒冷的海水要把我冻僵了。安生又喝下一杯酒。

你呢，七月，你还写作吗。以前我们两个参加作文比赛，你总是能获奖。而我的作文总是被批示为颓废不健康。安生笑。可是我觉得我比你写得好。

还喜欢海明威吗。我在旅途上阅读他的小说，他给了我最大的勇气。我一直想知道，他把猎枪伸进自己嘴巴的时候，他的脑子里在想些什么。然后我也开始写作。七月。我一直在稿纸上写。也许哪天某个书商会让我出版这本书。我们被迫丢弃的东西太多了。写作是拯救自己的方式，上帝不会剥夺。

又是一阵喧嚣的音乐。舞动的人群发出尖叫。

我走遍了整片华南，西南和华中。几乎什么样的活都干过。在山区教书，在街头画人像，在酒吧跳艳舞，在户外画广告。有时候一个人在一个偏僻小城里烂醉三天都没有人知道。

我已经忘记自己的家在哪里了。早就和母亲断绝了关系。我想我的家是被我背负在灵魂上面了。可是有时候灵魂是这样空，有时候又这样重。安生又笑。她快把一整瓶酒喝完了。

为什么不找一个爱你的人，安生。

这个男人一直想带我出国去。是我在打工的房地产公司的老板，正和老婆闹离婚。安生喝完杯子里的酒，又推给吧台里的酒保，让他再倒。这个男人都可以做我爸爸了。

你可以找到一个合适的男人。

合适的男人？什么叫合适的男人呢。安生仰起头笑。她的声音因为烟和烈酒开始沙哑起来。这个含义太广了。他的金钱，他的灵魂，他的感情，他的身体，是不是都应该放在里面衡量呢。其实你知道吗，七月。安生凑近七月的脸。只要一个男人能有一点点像家明，我也愿意。可是这个世界上没有比家明更英俊更淳朴的男人了。我们都只能碰到一个。

安生，你醉了。你不能再喝了。七月把酒推给酒保，示意他收回。

不。我还要喝。我还要喝。安生扑倒在吧台上。只有酒才能让我温暖。七月，你以后当我死了吧，我不想再看到你了。为什么这么多年我还会想起你。可是我不愿意再想你了。我又要走了。我好累。我无法停止。安生大声地叫起来。

七月含着泪奋力把安生拖出了酒吧。外面的风很冷，安生跪倒在地上开始呕吐。她的玉坠子掉出胸口来，那根红丝线已经变成了灰白色。在洗澡的时候，她都不肯把它取下来。

相见的唯一一个夜晚，安生因为喝醉睡得很熟。七月失眠却无法和安生说话，只能一个人对着黑暗沉默。她们还是像小时候一样，并肩睡在一起。可是安生再不会像以前那样，撒娇地搂着她，把头埋在她怀里，把手和腿放在她身上。安生把自己的身体紧紧地蜷缩起来。

整整六年。七月想。许许多多的深夜里。安生在黑暗和孤独中，已习惯了抱紧自己。她已经不再是那个会在七月的怀里痛哭的少女。

二十三岁到二十四岁。七月毕业，分到银行工作。安生离开了上海，继续北上的漂泊。

家明毕业，留在西安搞开发。

家明，你回来好不好。七月在电话里对家明说。我们应该结婚了。

为什么你不能来西安呢。七月。

我只想过平淡的生活。家明。有你，有父母弟弟，有温暖的家，有稳定的工作，有安定的生活。我不想漂泊。七月一边说，一边突然在电话里哭了起来。

好了好了。七月，别这样。家明马上手忙脚乱的样子。

你答应过我的，家明。我们要一直在一起不能分开。你忘记了吗。

没有忘记。家明沉默。我下个月项目就可以完成，然后我就回家来。

谢谢，家明。我知道这样也许对你的发展会有影响。可是我们需要在一起。生活同样会给我们回报。相信我，家明。

我相信你，七月。家明在那里停顿了一下。然后他说，七月，安生来看过我。

她好吗。

她不好。很瘦很苍白。她去敦煌，路过西安来看了我，匆匆就走了。

你能劝她回家来吗。

我想不能，七月。好了，我挂了。家明挂掉了电话。

七月在银行的工作空闲舒服。薪水福利也都很好，家人都很放心。就等着家明回家以后操办婚礼。母亲一天突然对七月提起安生。她说，那个女孩其实天分比你高得多，七月。就是命不好。

母亲一直很喜欢常赖在家里蹭饭吃的安生。因为安生会说俏皮话，会恭维母亲的菜做得好吃，对她撒娇。七月也觉得，虽然自己长得比安生漂亮。但安生是风情万种的女孩。

家明说，安生是一棵散发诡异浓郁芳香的植物，会开出让人恐惧的迷离花朵。而七月，她想，她是幸福的。有时候她端着水杯，坐在中央空调的办公室里，眺望着窗外的暮色。想着下班以后，会有家明的电话，母亲的萝卜炖排骨。她宁愿自己变成一个神情越来越平淡安静的女人。

有一次，一群来旅行的法国学生来营业大厅办事。七月看到里面一个扎麻花辫子的女孩，穿着一件粉色的汗衫。里面没有穿胸衣，露出胸部隐约的美好形状。在这个小市民气息浓郁的城市里面，这样的情景是不会发生在本地女孩身上的。但是安生一贯都这样。就像十三岁的安生会踢掉鞋子，飞快地爬到树上。她把她的手伸给七月，她说，七月，来啊。但七月不会爬树。她仰着头看着树上鸟一样的安生。也许她已经下意识地做出选择。

她宁愿让安生独自在树上。一部分是无能为力。一部分是恐惧。还有一部分，是她知道自己要的是什么。

秋天又快来临。七月开始在中午休息的时候，约好同事去看婚纱的式样。她们一家家地挑过去。七月抚摸着那些柔软地缀满蕾丝和珍珠的轻纱，心里充满甜蜜。可是家明没有打来电话通知她回家的时间。甚至当她打电话过去的时候，那边答复她的只有电话录音。

这么多年，温厚的家明从没有让七月这样困惑和怀疑过。突然七月的心里有了阴郁的预感。她不断地打电话过去，她想总有一天家明会来接这个电话。然后在一个深夜，她果然听到电话那端家明低沉的声音。他说，我是家明。

家明，你为什么还不回家。七月问她。

七月，对不起。家明好像有点喝醉了，口齿不清地含糊地说，再给我一段时间。一点点时间。

家明，你在说什么。

再给我一点点时间吧，七月。家明好像要哭出来了。然后电话断了。

七月在那里愣了好一会儿。这个男人。她十六岁的时候遇见他。她已经等了他八年了。而他，居然在答应结婚的前夕，提出来再给他时间。她不能失去他。七月当晚就向单位请了假，买了去西安的火车票。

七月，家明是有什么事情了吗。母亲担心地看着在收拾衣服的七月。

妈妈，我是要把家明带回来。

七月上了火车。火车整日整夜在广阔的田野上奔驰。这是七月第一次出远门。她一直都生活在自己的城市里。唯一的一次是去上海看望安生。可那也不远。上海是附近的城市。一个人不需要离开自己家门，也未尝不是一种幸福。七月听到车厢里天南地北的普通话声音。她想，安生走了这么远又看到了什么呢。就好像她爬到树上看见的田野和小河。远方的风景虽然美丽，却都不是家园。

在上海的时候，安生喝醉了。哭叫着让七月忘记她，不要再挂念她。她是想卸掉心里最后一缕牵挂，独自远走吗。七月把脸靠在玻璃窗上，轻轻地哭了。十七岁的时候，是她在火车站送安生彻底离开了这个城市。她了解安生的孤独和贫乏。可是她能分给安生什么呢。她一直无法解开这个问题。

在晃动的黑暗的车厢里。不断在七月的眼前闪过的，是一些记忆中的往事片段。安生在阳光下的笑脸。她说，我们去操场看看吧。散发着刺鼻清香的樟树。安生在风中绽开的如花的白裙。安生动物般受伤的呜咽。安生摔破的白色玉镯子。她在驶出站台的火车上探出身来挥手。安生写来的字体幼稚的信。七月，我一个人骑着单车去郊外写生。路很破，摔了一跤……

终于火车停靠在西安站台。七月脸色苍白地下了火车。她打了车去家明的宿舍。她的心突然跳得很快。按着地址找到五楼，门是紧闭着的。七月敲门，没有人应。现在是清晨八点啊，家明又会去哪里呢。七月把行李包丢在一边，抱着自己疼痛的头，蹲了下去。然后似乎是听到了家明的脚步。七月抬起头。家明手里拎着一包中药走上楼来。身边有个穿黑衣服，长发披散的女孩。女孩靠在家明身上，脸贴着他的肩头，无限娇慵的样子。

七月慢慢地站起来，她瞪大了眼睛看着家明。这一刻，她的脑子里一片白茫茫的麻木。

七月，家明吃惊的声音。女孩也转过脸来。长发从她的脸上滑落。漆黑的眼睛，高高的额头，雪白的牙齿。不是安生又是谁呢。七月愣愣地跟着他们走进房间。她的行李包还拎在手上。她一时回不过神来。家明的房间收拾得非常干净，桌子上有一个玻璃瓶，用清水养着马蹄莲。床上搭着一件睡衣。那是安生的。

家明早上陪我去医院。我从敦煌回来，生病了。安生倒了一杯热水给七月，她拿出香烟来抽。

七月把眼睛转向家明。家明的眼睛没有正视她。

家明，你不回家了？

七月，我不能回去。家明轻而坚定的声音。

七月沉默着。恐惧和愤怒的感觉，让她听到自己轻轻的颤抖。

她慢慢走到安生的面前。

她的眼泪流下来。安生，我不知道你要的是什么。我一直在问自己，我能把什么东西拿出来和你分享。

安生说，我爱家明。我想和他在一起。

七月凝固了全身的力量，重重地打了安生一个耳光。

安生。

深夜的大街上，七月听到自己绝望的声音在寒风中发出回响。她走了太多的路，找了太多的地方。她在后悔和焦急中，觉得自己面临着随时的崩溃。她在路上蹲下来。家明把她抱起来，他说，七月，对不起。

家明，你爱的到底是安生还是我。为什么你不告诉我。

家明沉默地抱住悲痛的七月。他只是紧紧地抱着她，不发一言。

安生是身无分文地跑出去的，她不会离开西安。她的性格也不会自杀，那么她只有可能是又流落到酒吧里面。他们一个一个地找过去，没有。都没有。

七月，你先回去睡觉。我来找。家明说。

不，我要找到她。七月忍着泪。她清楚地看到自己的指印浮现在安生苍白的脸上，还有安生眼睛里的黑暗和绝望。她就这样淡淡地笑着，然后推开门跑了出去。她不知道自己为什么会这样对安生，她甚至从来没有对安生发过火。贫穷的安生没有七月拥有的东西，少年的时候似乎这样，长大后也一样。

在商店的橱窗前面，他们看到了安生。她没有喝醉，她只是裹着外套蜷缩在台阶上，身边散落遍地的烟灰和烟头。

好冷。看到他们，安生淡淡地笑了笑。她看过去平静而孤单。

回去吧，安生。七月不敢拉她的手，只能低着头对她说话。

好，回去。安生扔掉烟头。家明。她回头低唤家明，家明，抱我回家。我冷得冻僵了。

家明把蜷缩成一团的安生抱在了怀里。他的脸轻轻贴在安生冰凉的头发上。

安生第二天就昏迷发起高烧。因为酗酒和流浪，她的身体非常衰弱。家明把安生送进了医院。七月准备回家。在候车室里，七月和家明沉默地坐在那里。

家明，你好好照顾安生。

我知道。

我很爱你，家明。七月泪光闪烁地看着这个男人。我想我是不是以前一直没有告诉过你这句话。是的，你从来没有说过。家明的眼里也有泪。他伸出手，把七月拥抱在怀里。你们都是这样好的女孩，你们好像是同一个人。

我回到家是十一月二十四日。我等你一个月，家明，我不会给你打任何电话。如果在一个月里面你回来了，我们就结婚。如果你不回来，我们就缘尽到此。我不会对你有任何怨恨。

家明看着七月。七月的神情非常严肃。她说，家明，你好好地想一想。彻底地考虑清楚。我，还有安生。留在西安，还是回到家里来。你的选择只有一个。七月把自己手腕上套着的绿色玉石镯子拿下来递给家明。你先留着它，安生从小就知道我最喜欢的是什么。我一直怀疑，其实她喜欢的是这个绿镯子。

七月回到家，对母亲没有说具体的真相。只说家明在那边还有事情要处理。七月每天仍然平心静气地去上班。她的心里一直很痛。好像轻轻一个碰触就会有酸涩的泪水滴落下来，但是她沉默地忍耐着。她从小就过着顺畅平和的生活。这样的打击对她来说，已经很巨大。

可是七月想，她终于也有了一个成长的机会了。天气一天比一天寒冷。北方应该已经大雪弥漫了吧。她突然意识到自己真的是深爱着家明。她问自己，如果家明不回来，她是否可以重新认识一个男人，和他结婚。可是这似乎是难以想象的。从十六岁开始，她就习惯了家明的英俊和温和。他身上干净的气息。他温暖的手。他硬硬的头发。不会再有一个男人这样让她爱得无能为力。

圣诞节快要到了。大街的商店橱窗开始摆出圣诞老人和圣诞树。用粉笔写了美丽的花体字，Merry Christmas。七月下班以后，裹着大衣匆匆地在暮色和寒风中走过。街上的人群里，有两个读初中的女孩，也是十三岁左右的年龄，亲昵地牵着手，趴在橱窗上看圣诞礼物。两颗黑发浓密的头紧靠在一起。

一个女孩说，我好喜欢这个绒布小狗熊。

另一个说，我也很喜欢。

一个说，那我叫爸爸买来我们一起玩吧。

另一个说，好的。

七月想，绒布小狗熊能一起玩。那别的呢。如果她们遇到不能分享的东西，会不会反目成仇。少年的友情就像一只蝴蝶一样绚丽而盲目。可是安生，是她爱过的第一个人。

十二月二十四日的时候，家明没有回来。

晚上同事叫七月一起去酒店参加圣诞晚会，吃饭，跳舞。七月同意了。她穿了新买的玫瑰红的大衣和黑色靴子，化了浓妆。同事非常惊讶。平时一贯以乖乖女形象出现的七月，突然变得妩媚热情。银行里的一个同事，刚升上科长。是个憨厚能干的男人，一直很喜欢七月。

那天晚上大家在一起，热闹地喝了点酒，七月也显得很高兴。他鼓足勇气，仗着酒胆，走到七月面前请她跳舞。七月接受了他的邀请。这个男人的学历品性家世都很好。只是刚过三十岁，已经有了啤酒肚，还戴着深度的近视眼镜。他说，七月，圣诞节会放美国新的大片，到时我可以请你去看吗。

七月微笑着说，是什么片名呢。她的眼前闪过家明英俊的笑容。她想，她还是要过下去的。平淡稳定的生活。即使换了个平淡的男人，也许一样会幸福。

凌晨两点左右，同事送七月回家。七月在离家门还有一段距离的时候就下车了。她想慢慢地走回去，让晕痛的头脑清醒一下。天空忽然下起小小的雪花。南方的冬天，常常就是这样，突然就会有细碎温柔的雪花飘落。七月闭上眼睛仰起头，感受着冰凉的雪花在脸上迅速地融化成小水滴。她在寒风中张开手臂，轻轻地旋转着身体。她想，圣诞老人你开始送礼物了吗。你知道什么才能让我快乐吗。

然后一个人突然抱住了她。七月没有张开眼睛。因为她闻到了她熟悉的男人气息。她还摸到了短短的硬的头发。那个宽厚的怀抱还是一样的温暖。

我买不到飞机票，只能坐火车回来。还算来得及吗。七月。七月没有说话。只是紧紧地，紧紧地把脸贴在那传出心跳的胸口上。

二十五岁的春天，七月嫁给了家明。他们举行了简单的婚礼。七月终于穿上了洁白的婚纱。只是结婚的那天下起了冰凉的细雨。纷纷扬扬的，像滴淌不尽的眼泪。七月穿着的白缎子鞋在下轿车的时候，一脚踩进了水洼里。满地都是飘落的粉白的樱花花瓣。

婚后平淡安宁的生活，一如七月以前的想象和计划。家明自己开了一个软件开发公司，事业顺利。同时又是顾家而体贴的好男人。母亲心疼七月，叫他们晚上不要自己做饭，一起回家来吃。七月也喜欢回母亲家里。一大家子的人，热闹地吃饭。亲情的温暖满满地包围在身边。

家明没有多说安生的情况。只说她病愈后，去了北京。然后和她在上海认识的一个房地产老板，一起去了加拿大。那个可以做她父亲的中年男人。七月还记得安生应他的搭讪的时候，那种冷漠的神情。

可是她想，她已经做了自己的让步。这些选择都是家明和安生做的。

她喜欢被选择的结果。这样心里可以少一些负累。七月和家明之间，从此小心地避开安生这个话题。可是七月还是想念安生。

一天深夜，下着大雨。七月突然从睡梦中惊醒。她坐起来翻身下床。家明也受惊醒来，在黑暗中问七月，干什么去，七月。

有人在敲门。家明。

没人啊。根本没有敲门。

真的。我听到声音的。七月走出去，急切地打开门。吹进来的是空荡荡的冷风，外面下着大雨。七月头斜靠在门框上，呆呆地发愣。她没有告诉家明。她想起的是少年时走投无路的孤独的安生。浑身湿透的安生，抱着双臂靠在门口，面无表情地对七月说，她走了。在那个夜晚，安生唯一的亲人离开了她。

七月突然有预感，安生要回来了。

秋天的时候，一封来自加拿大的信飘落在七月的手中。安生孩子般稚气的字体没有丝毫改变。她说，七月，这里的秋天很寒冷。我的旧病又有复发的预兆。最重要的事情是我怀孕了。那个男人不想再和我在一起。可是我不想失去孩子，因为这是家明的孩子。家明看着七月。七月沉默。这样的沉默她维持了三天。

然后在一个夜晚，她回到家说，她给安生发了回信，叫安生回家来。七月说，她这样在国外会病死和饿死。

家明说，七月，对不起。

七月摇摇头。没有对错的，家明。以后不要再说这句话。我一直想知道你回来是自己做的选择还是安生做的选择。

家明说，我不想回答这个问题。

七月在下雨的夜晚去机场接机。家明加班。从北京飞过来的班机延迟了，七月等了很久。

然后出口处终于出现了涌出来的人群。七月拿着伞等在那里。她看到了安生。安生拎着简单的行李，穿黑色的大衣。身体有些臃肿。一头长发已经剪掉。短头发乱乱的，更加显出脸部的苍白和消瘦。只有眼睛还是漆黑明亮的。

她看到七月，脸上露出淡淡的微笑。Hi，七月。

安生。七月跑过去，抱住安生。她的眼泪掉下来。安生，回家来。回家来了。

是。回家来了。安生把脸贴在七月的脖子上。她的脸是冰凉的。两个人在空旷的机场大厅里拥抱在一起。距离安生十七岁离家出走。整整是八年。

安生在七月家里住了下来。母亲不知道安生怀的是家明的孩子，所以对安生还是非常好。七月和家明决定对任何人保守秘密。安生先进医院看病。为了孩子，她已经戒掉了多年沉溺其中的烟和酒。七月每天给她煮滋补的中药，房间里总是弥漫着草药的气味。

安生空闲在家里，种了很多花草。有时候一个人坐在露台的阳光下，可以安静地坐上很久。家明走过去给她一杯热牛奶。她就对家明微笑着说，谢谢。家明无言，只是用手轻轻揉她的短发。

然后有一天，安生告诉七月，她在写作。她一直坚持在写作。一个字一个字地写在稿纸上。安生说，我不知道这本书会不会出版。我也没抱热切的期望。可是我想我可以留下一些什么。我本身已经是贫乏的人。

七月说，你写的是什么内容。

安生说，流浪、爱，和宿命。一个月后，她把厚厚的一堆稿子寄给了出版社。

安生的身体越来越臃肿，只能让七月帮她洗澡。安生从来不摘下脖子上那块破掉的玉牌，因为戴得太久，丝线都快烂了。少年时她们也曾一起洗澡，那时的身体是洁白如花的，纯净得没有任何疤痕。可现在安生的身体已经完全变形。背上，胸口上有许多烟头留下的烫痕，手腕上还有支离破碎的割脉留下的刀疤。七月不问。只是轻轻地用清水冲过它们。

安生听到七月紧张的呼吸声，就笑着说，看着很可怕是吗。我走之前就知道，这具身体以后会伤痕累累。我以前一直厌恶它，直想虐待它，摧残它。因为我不明白我为什么不可以做七月，却只能做安生。七月有很多东西，但是她无法给我。安生什么都没有，始终也无法得到。

一直到现在，我终于知道自己可以蜕变了。像一条蛇，可以蜕壳。新的生命会出来。鲜活洁净的肉体和灵魂。全新的，而旧的就可以腐烂。我非常感激，家明给了我新的生命。七月。他是我们爱的男人。我爱你。七月。

她们回到母校的操场去散步。有樟树的地方已经盖起了一幢新的楼。安生说，这里曾经有刺鼻的清香。她闭上眼睛深深呼吸了一下，似乎依然站在浓密的树阴下面。可是她已不再是那个穿着白裙子的光脚的女孩，会轻灵地爬上高高的树杈。旧日时光早已一去不复返，只有铁轨还在，穿过田野通向苍茫的远方。

安生说，小时候我非常想知道它能通向何方。现在我终于知道了。原来它并没有尽头。

安生被送进医院的那个夜晚，已经是南方寒冷的冬天。她的胎位有问题，事态变得严重。医院走廊空荡荡的，不时响起忙乱的脚步声。七月坐在冰凉的木椅子上，交握着自己的手指，心里很紧张。她听到安生的惨叫。她突然觉得安生会死掉。当安生被医生抱上推车，准备送进产房的时候，她猛扑了上去不肯放手。

安生，你一定要好好的。七月的手捂住安生苍白的脸。安生的头发因为浸泡在汗水和眼泪里面，闪烁着潮湿的光泽。安生侧过脸轻声地说，我感觉我快死了，七月。

不会。安生。一定要把家明的孩子生下来。你这样爱他。

是。我爱家明。我真的爱他。安生的眼泪顺着眼角往下淌。只是我不知道生下孩子是继续漂泊，还是能够停留下来。我真的不知道。我已经无法再伤害你，七月。我是你这一生最应该感到后悔的决定。当我问你去不去操场。你不应该跟着我走。

第一次，七月看到安生明亮的眼睛开始黯淡下去。像一只鸟轻轻地收拢了它的翅膀，疲倦而阴暗的，已经听不到凛冽的风声。

我觉得自己的罪太深，判决的时候到了。安生的眼睛缓缓地转向玻璃窗。黑暗的夜空，回旋着冷风。安生低声地自语，不知道永远到底有多远。我一直无法知道。她的神志有些模糊了。那一个夜晚，我对他说，我要走了。因为我爱他，所以我要为他漂泊到老，漂泊到死，不再回来。他把他的玉牌送给我，他说，我的灵魂在上面，跟着你走。可是太累了，我走不动了。安生的脸上浮出淡淡的微笑。

凌晨的时候，安生产下一个女婴。因难产而去世。

七月二十六岁的时候，有了收养的女儿。她给安生的孩子取名叫小安。她相信这是新的安生。就像安生说的那样，是鲜活洁净的灵魂和肉体。而旧的躯壳就可以腐烂。小安有一双漆黑明亮的眼睛。七月把她抱到家明的家里去，家明的母亲非常喜欢。

她抱着小婴儿说，应该送礼物给小宝贝啊。家明，你从小戴的那块玉牌呢。虽然破了一角，但是可以用来辟邪。家明和七月都装作没听到。那块玉牌随安生一起火葬了。

七月总是憨憨的样子。有时候不知道真相，不了解本质的人，是快乐的。而能够假装不知道真相，不了解本质的人，却是幸福的。只有一些人例外。比如家明在酒吧邂逅的那个十六岁的女孩。她透过喧嚣的音乐和烟雾，笑着对他说，家明，你的眼睛好明亮。这样的女孩直指人心。但是她不告诉他，她喜欢的是绿镯子还是白镯子。

在幽深山谷的寺庙里，他们看着佛像。她坐在他的身后，轻轻地问他，他们知道我喜欢你吗。他转过身看着她。她踮起脚亲吻他，在阴冷的殿堂，阳光和风无声地在空荡荡的屋檐穿行。那一刻，幸福被摧毁得灰飞烟灭。生命变成一场背负着汹涌情欲和罪恶感的漫无尽期的放逐。

半年以后，安生的书出版。书名是《七月与安生》。七月和家明过着平淡的生活。他们没有再要孩子。

烟火夜

一、如果时间倒退五年

如果时间倒退五年。我觉得应该按照自己最初的决定，去报考幼儿师范。做一个幼儿园老师，每天和那些柔软透明的小生物在一起。他们无邪的笑容像阳光一样纯粹。他们清澈的眼神像雪山一样遥远。我要在他们躺在绿色的小木床上午睡的时候，一个人坐在窗台边的地板上，看樱花树在风中摆动。黄昏的雨天，最后一个孩子被母亲接走，然后在空荡荡的教室里弹钢琴。可以在一个小城市里，一直这样平静地生活下去。我要嫁给那个高大英俊的男人，他的睫毛就像华丽而伤感的威尼斯。我们曾经相爱。我要在他的身边，不离开他。告诉他，我愿意和他相守到老。

Rose在E-mail里要我用两百字写一篇《倒退五年》，在半小时之内发给她。她常有诸如此类的要求，因为她是我的编辑。我所有的小说都交由她处理，然后每个月去邮局支取她的杂志社寄给我的稿费，用以维持生活。这些钱可以缴付房租，水电煤和电话网络费用。每周一次去超市采购，在冰箱里放上脱脂牛奶，鲜橙汁，燕麦，苹果，新鲜蔬菜和鸡肉……还有出去逛街泡吧，在咖啡店里喝双份Espresso，给自己买新款香水和粗布裤子。

Rose在北京。我在上海。我们一直以E-mail联系，从未见面或致电。我不知道她的性别，只能暂时认定她为女性。也不知道她是否比我年轻，但这些都已经不重要。有时候身边很多熟悉的人，他们却只如空气般的存在。

请看她在我发出E-mail五分钟之后给我的回复。亲爱的Vivian，我如此依赖你，你好像在我隔壁办公，而且从不曾让我失望。

我微笑。此时已过深夜十一点，别人看完电视，许是打着哈欠洗脸刷牙准备上床。而我一天的工作，刚刚开场。窗外的天很蓝很深，五月的夜风清凉里面已经有醺然的暖意。光着脚坐在大藤椅上，一杯泡得浓黑的咖啡，红双喜的特醇香烟，还有空白的电脑文档。我的工作就是在寂静的空气里，听着自己的手指敲击在键盘上，直到把眼前的那一面空白用黑字填满。

我是以卖字为生的女子。在我二十五岁的时候。

如果时间倒退五年，也许依然只能如此。

二、遇见绢生纯属偶然

很多女子的二十五岁，应该会有一个自己的家。即使是小小的家，只要放得下自己的一橱衣服和从小抱着睡的枕头，也会心安。有一个男人。临睡之前他的手指抚摸在她的头发上，可以闻着他脖子皮肤上的味道闭上眼睛。还会有一个孩子。从此这颗心就放在了身外，跟着另一个人晃晃悠悠。

而我的二十五岁。我单身。靠着一台电脑和数位杂志编辑的电子信箱生活，并养了一缸热带鱼。那些美丽的小鱼，它们睡觉的时候也睁着眼睛。不需要爱情，亦从不哭泣。它们是我的榜样。

Rose偶尔在E-mail里对我说，亲爱的Vivian，为什么你的小说总是以分离告终，虽然我喜欢你的文章，但依然困惑不已……我给她回信，亲爱的Rose，那是因为我曾经被很多男人欺骗，遭受种种劫难，心如死灰……一边打字与她调侃，一边笑着抚摸自己裸露在空气里的冰凉的脚趾。

爱情，那是很遥远的事情了。十五岁的时候，和班里的男生恋爱。纯纯的恋情。冬天的黄昏，在自己的房间里，看着他的手笨拙地伸入到胸前，他的呼吸有柠檬的清香。还有他喀哒喀哒响的旧单车，坐在前面的横杠上，他的嘴唇轻轻贴在头发上。美丽的诺言让人看到海枯石烂……

十年过去，如果再对爱情欢天喜地，执迷不悟，那才叫可怕。

我想我的生活估计是到不了头。

我所要的，只是一个人。能在我睡觉的时候，轻轻抚摸我的膝盖，把我蜷缩起来的身体扳直。如果没有，那么一切继续。虽然有时候我恐惧白雪茫茫般空洞的生活到不了头。直到我遇见绢生。

遇见绢生纯属偶然，但非虚构。虚构是我文字里的概念，如果没有虚构，我就无法得到食物和住所，无法像任何一个正常的路人，行走在城市高楼耸立的大街上，即使不踌躇满志，也可以心定气闲。

我喜欢城市的阳光透过污浊空气和阴冷楼缝，轻轻抚摸在脸上。我喜欢在吃完一顿丰富的晚餐以后，想起还可以去哈根达斯买一杯瑞士杏仁香草冰激凌。自然有时我的生活也会变得糟糕，比如在这三个月里，一共抽掉三十包红双喜，平均三天一包烟。由于买烟的地点杂乱，常常抽到假烟。假烟带来的灾难是头痛和呕吐。可是独自在深夜的时候，它像一场往事，让人镇静，并带来泛滥。逛了八十次街。每天下午醒来，在深夜之前的这段空白，时间必须大量挥霍。坐车到陕西路，然后步行至淮海路。有时候只是坐在太平洋前面的石阶上，看着陌生人走来走去。在Starbucks买咖啡。然后往回走。

泡吧五十次。有两次因为烂醉而爬到桌子上。五次被人拖上出租车送回家。

约会过十个男人。无疾而终。

卖力地写作。写了四十万个字，卖掉三十万个字。

吃掉镇静剂三瓶。

从冬天开始，我的生活就是这样。

春天到来的时候，我觉得应该找个人同居。仅仅是想更温暖地生活，迎接这个美好的季节。因为我要努力写稿，争取得到更多的享受，包括我向往已久的去越南和泰国的旅行。或者还可以更远一点，印度或者埃及。我的地点和其他人有所不同。

我决定搬到离市区较近的地方。我在网络上登了一则征求室友的广告。我们可以分担费用。失眠的时候还能找到一个人说话，即使仅仅是听到彼此发出的声音。万籁俱寂，仿佛失聪。可是我有因为独处而过分灵敏的听觉。卧室分开。客厅，厨房和卫生间共用。我留下自己的E-mail和电话号码。三天以后收到回音十条。只有一条是对方打电话过来。

你好，Vivian，我是绢生。她说。她的声音仿佛十六岁少女一样的清醇。外省人。在一家德国电器公司做事。

我记得我们的对话是这样的。我说，你现在住哪里。

北京西路。

那里地段很好。

但是晚上找不到水果摊和有热鱼丸出售的小超市。

我会尊重你的自由。包括养宠物或者男人。

前者我没有时间，后者我没有机会。她笑。

这是我喜欢的女子。聪明又流转，说话简洁至极。我们决定一起去看房子，房子的主人是一个老教授，准备去德国两年，所以想把房子租出去。我们约在北京西路。

三、时间不会走了

那天下雨，阴冷潮湿。春天缠绵的雨季，使本来已经污浊不堪的城市空气更加黏稠。我早到二十分钟，独自站在大厦门口避雨。作为高级的写字楼，里面汇聚多家著名的集团公司。现在已到下班时间，旋转门不断有人进出。很多人衣冠楚楚，然而神情困顿。我已经过了很多年没有工作的生活，不太清楚工作的意义和目的。

十八岁的时候我去街头冷饮店打工，每天夜晚工作三个小时，推销冰激凌兼收钱送货，月底能拿到几百块钱。迫不及待地去买看了整整一个夏天的碎花裙子……毕业以后，进入大机构。很快辞职。从此不再有工作。多年的无业生涯，很快使我变成一个邋遢的女子。神情时而萎靡时而激越无比。

绢生出来的时候，怀里抱着一盆绿色的羊齿植物。她很瘦，眼睛漆黑。神情冷淡的时候像沧桑的妇人，笑起来则变成甜美的孩子。大抵只有内心纯真而又经历坎坷的人，才会如此。她只穿锦缎的暗红牡丹短旗袍，下面是破洞的牛仔裤和褐色麂皮靴子。她的名贵靴子一脚就踏进了泥泞里面。

平时喜欢养花?

不。今天在花市看到，非常喜欢，所以想买下来。她从包里拿出一盒烟。她说，你抽烟吗。我看到她手里的烟，是一盒红双喜。八块钱的特醇。我笑。两个人互相低着头点燃了烟。她手里的绿色大叶子轻轻碰在我的皮肤上。

是在接下来的一秒钟。我刚刚直起身体，吐出第一口烟的时候。那个男人突然掉落下来。他没有任何声音地随着犀利的风速下滑，撞击在前面停留出租车的宽敞空地上。就像一只沉重的米袋子。爆裂的是他的脑壳，白色的红色的液体混杂在一起飞溅。雨下得不大，他的白色衬衣被泥水包裹。

我惊叫一声。绢生的手迅速地控制住我的肩，一把将我拉到后面。我们目睹了此后的过程。保安报警，警察封锁现场，众人围观。死者是某广告公司的副经理。那个男人因为涉嫌贿赂和贪污，已经被调查了一段时间。绢生和我坐在台阶上，看着那具破碎的尸体被装进黑色的塑胶袋里拖走。

他的一只鞋子还在那里。绢生说。一只黑色的男式皮鞋，孤零零地掉在花坛偏僻的角落里。不知道他在丧失思维之前，是否会后悔自己穿着鞋子。如果光脚的话，去天堂的路途会走得比较轻松。她说。

我不明白她为什么会笑。这样诡异的笑容。我记得那个男人的脸，是像突然伸过来的手一样，出现在我们面前。他的眼睛睁开着。空白的眼睛。

你害怕死亡吗。她看着我。小时候，家里死人，我站在棺材旁边看，不明白一切为什么可以这样完美地停顿。手指不会动了，眼泪不会流了，时间不会走了。

四、有些人的生命是有阴影的

我们租下的那套老房子很陈旧。房间光线阴暗，前后院子里种了大片茂盛的橘子树，叶子暗绿得发亮。还有鸢尾，雏菊和玫瑰。绢生把她的羊齿放在卫生间的窗台上。那盆小植物长得很野性。卫生间铺洁白的马赛克，虽然狭小但是干净。可以在里面喝酒，发呆，洗澡的时候收听音乐。露台的铁栏杆已经完全发锈。有一张厚重的红木雕花书桌，手抚摩上面冰凉光滑，散发微微的木头清香。

我的同居伙伴。深夜她光脚在地板上走来走去，散乱着海藻般的黑色长发，湿湿的脖子。像在地穴里穿行的寄生昆虫。当我在电脑前抽烟和写作的时候，她坐在地板上看卡夫卡。

周末深夜，挤到我床上，一起看电视的经典黑白老片回放。然后喝威士忌加冰块，配新西兰起士。常常会看得流泪，红着眼睛在那里抽泣。电影打出End，于是她狠狠咒骂一句，愤然地进卫生间洗脸。

她是那种会把手指甲剪得短而干净的女子。喜欢奢华的黑色蕾丝内衣。并且果然是没有宠物和男人。

一早起床。洗澡，在衣橱里选衣服。她的衣服排列在薰衣草的芳香里，丝缎，纯棉，细麻，麂皮等所有昂贵而难以服侍的天然料子，颜色大部分为黑，白，暗玫瑰红。细细的蕾丝花边，精致的手工刺绣，大红大绿的民俗风情。她的生活极尽奢华。但我知道这里面的缺陷。这所有的一切，都是她以自己的工作获得。

一个没有男人可以依靠的女人。公司里的工作忙碌，常日夜颠倒地加班。有时候打电话过去，话筒里始终是杂乱的声音，电脑，电话，传真，打印机……每天喝泡得浓黑的咖啡来维持睡眠不足的体力。商业社会，不进则退，一旦失去被利用的价值，就是沦落。

绢生在销售界的名声刚刚有好的开始。我相信这是她以天分获得，她是散漫的人，性情纯真然而并无上进心。

我曾去参加过她公司的庆祝酒会。绢生的销售业绩做得如此之好，众人均过来和她招呼寒暄。她端着酒杯站在她的外籍老板旁边，穿黑色丝绸长裙，肩上的细吊带均为水钻，长发柔滑，胸前别一小束风信子。我看着她在人群里得体地微笑，身体微微有些僵直。可是她是能够控制自己的。我知道。这是她的外壳，她柔软纯白的灵魂躲藏在里面，小心翼翼地爬行。

半夜她回家。踢掉鞋子先开始洗澡，在卫生间里一泡就是几个小时，香薰沐浴，看小说，听收音机，不亦乐乎。这是绢生放松的时候。我亦知道她在公司为工作和同事争辩，回来后因气愤胸痛难忍。

有时候独自衣锦夜行，涂发亮的唇膏，抹了兰蔻的香水，花枝招展地出去。快凌晨的时候回来。手里拿着从超市买来的威士忌和大块起士。卸妆，洗澡，穿着内衣半夜看旧片，一个人坐在阴影里，对着威士忌和香烟。长长的头发披泻在胸前，眼神疲倦。

大部分人的生活未必像我这样目的明确，因为我知道如果不写作就无法生存。而绢生，她是可以有选择的机会。自然她也曾对我说起那些和她在一起的男人。她与他们吃饭，跳舞，看电影，深夜回家，却始终只有一个人。她从不带男人回家或在外留宿。亦不要他们买东西给她。吃饭也要坚持AA制。因为不爱，所以分得很清楚。

为什么你似乎不是很快乐呢。我问。

他们想玩的，我未必想奉陪。我想玩的，他们又玩不起。

玩不起吗。

比如诺言，比如责任，这是比金钱更奢侈的东西。她笑。我是很传统的女人，Vivian，我要一个男人养我，然后我给他做饭洗衣服生孩子。就跟所有中国女人做的事情一样。

谁要养你，买条裙子就要一千块钱。

那是我花自己的钱。如果他养我，扯块棉布自己做就行。

这未必能让你感觉安全，绢生。

我现在的感觉更不安全，她说。

谈话结束。绢生独自坐在黑暗里，继续看片子，喝酒，抽烟，她可以把这样的状态持续到凌晨天亮，然后穿上衣服和鞋子，拦出租车去公司上班。一个失眠的女子，若无其事地出现在公司里，冷静开始她一天的工作，和同事开会，讨论，打电话，应对……

半夜她放王菲的《但愿人长久》，这样哀怨的靡靡之音，苏轼的词在王菲的唱腔里让人听着难受。她走来走去，哼着里面的句子，一边轻轻抚摸自己的长发。

我从来未曾把绢生当做普通的女孩。有些人的生命是有阴影的。

五、我在等待着什么

七月，绢生去北京参加会议。

整个夏天是我的休眠期，每天除了睡觉和晚上去酒吧，没有办法写超过两千以上的字。

Rose来信催我，亲爱的Vivian，我想念你的故事，但愿你不要从我的隔壁办公室搬走……我微笑。那天，我看到自己开始脱头发。在卫生间的瓷砖上，看到大团大团的黑色头发，纠缠在一起。我蹲在地上玩了一会儿头发，发现自己的心里很冷静。

在绢生去北京的这段时间里，我要服食比平时多一倍的镇静剂才能入睡。可是副作用也很明显，头晕，出现幻觉。开着空调的房间里，我觉得自己血液的流速开始变得缓慢。黑暗中，万籁俱寂，我痛恨这种失明失聪般的包围。我躺在床上观望着自己的痛恨。

如果我的背后有一个男人。我希望他抚摸我睡觉时蜷缩起来的膝盖。用温暖的手指，一寸一寸地抚摸我，把我冰冷的身体扳直。我蜷缩得像回到母亲子宫的胎儿……我害怕自己的身体以扭曲的姿势僵硬。他要完全地占据我。这样我才能安全。

我的眼睛开始出现一团一团的阴影。然后是那个男人。那个坠落下来的男人，他的身体发出犀利的风的声音。白色的红色的液体四处飞溅。他脚上的鞋子不见了。

那个晚上，我去了熟悉的酒吧。白色的木楼，昏暗的淡黄灯光，烟雾弥漫。我穿黑色的吊带裙子，趴在吧台上抽烟。凌晨一两点左右，乐队开始唱非常老的英文歌。小小的舞池却已经空无一人。我跳下高脚凳子想去洗手间，丝绒的细跟凉鞋扭了一下，这双漂亮的高跟鞋是绢生的。我踢掉了它们。

在洗手间的镜子里，我看到自己醺然的脸，红得像一朵蔷薇。我想，我在等着谁呢。在镜子里看到自己的笑容，还是甜美。在狭窄的走廊上，靠在墙壁上抽烟。一个男人走过来，说，你好。他有亚麻色的头发，他的睫毛长长地翘起来。他身上有浓重而浑浊的香水味道。

你的中文很好。我醉眼惺忪地看着他。

我在上海待了四年。他笑。你的鞋子，不应该扔掉。他的手里拎着我踢掉的那两只高跟鞋子。我不说话。我头痛欲裂。我只能对着他笑。他的身体靠近过来，他说，你不舒服吗……

他的手这样大，烫的，抚摸在我的脸上。

我说，谢谢。我喝多了一点酒。我可以想象自己的样子。没有化妆的脸因为失眠和抽烟憔悴不堪。头发潮湿凌乱，像海底的藻类。皮肤粗糙，看过去疲倦而邋遢。一个脸色苍白的东方女子。我仰起脸看着天花板，那上面有模糊的光线在飘浮。我在等待着什么。我问自己。

他从西装口袋里掏出一小块巧克力。他说，巧克力是会带来愉快的食物。

我当着他的面剥掉锡纸，把甜腻柔滑的巧克力放入唇间。他微笑。他笑起来的样子，让我感觉到他应该已经过了三十五岁。

他拉住我的手，带我走出地下室。我们在大街上拦出租车。刺眼的路灯光让我安静下来。我看着这个洋人。他的脸是欧洲人沉着的轮廓，他的眼睛是褐色的。他说，我送你回家。

他给了我他的名片。John，爱尔兰人。

你光着脚的样子，像从天堂匆忙地逃下来的天使。他微笑。

在中国古老的传说里，天上的仙女逃下来是为了给她心爱的男人做妻子，和他生活在一起。我说。

你依然可以这样做，只要你快乐。

他轻轻地亲吻了一下我的头发，然后转身离开。

六、幸福只是瞬间的片断

客厅里放着旅行箱。绢生回来了，但是她的房门紧闭。我轻轻叩门，绢生，绢生。她在里面温柔地应声，我累了，我们明天再叙。我在房间里辗转反侧。一直听到客厅的声音持续不断。在煮食物，在倒啤酒，在开热水器放热水，在找毛巾……只是没有说话的声音。但我知道，绢生今天是有客人。她第一次，带了一个人回家。

半夜下起非常大的雨，整个城市淹没在雨声中。我用毯子裹紧自己，用清水吞服下镇静剂。

凌晨的时候我做梦，梦到那个坠落的男人。他像一只鸟一样，张开手臂从空中缓缓地，缓缓地飞落下来……然后砰然摔在我的面前。他的脸却是绢生。我惊醒过来，心跳急速。看看闹钟，是凌晨三点。走到客厅，看到绢生坐在客厅的窗台上，看着深蓝的天空在默默抽烟。

她穿着黑色的内衣，头发披散在胸前，脸上有泪，眼睛里却有笑容。

绢生，他走了吗。

不，还在睡觉。她微笑，看着我。Vivian，过来让我拥抱你。她的语调非常平静。我们拥抱在一起。

我说，你去休息，绢生。但是她摆出了长谈的姿势，她在这一刻有倾诉的好心情。她从未曾向我披露关于这段往事的细节，但这一刻，她眼角快乐的眼泪，不停地流泻下来。她的声音轻轻的，似乎不忍打破幻觉。

认识他的时候，那年冬天的上海提前下雪。我们走出餐厅准备去酒吧，天下起大雪，细碎的雪花在暗淡的路灯光下飞旋，一片一片，轻轻跌碎在脸上。寒风刺骨。是那年冬天最寒冷的一个夜晚。我对他说，下雪了。我的手指拉住他的黑色外套，他低下头对我微笑。那时我们相见仅三个小时。三个小时里面，我知道我会跟着他走。而那一天我只是顺道来看看他。

绢生叹息，然后拿起杯子喝酒。她的眼泪轻轻地滴在酒杯里。

我说，缘分叵测，我们无从得知下一刻会发生一些什么。

是为了他才来到这个石头森林的城市。他在电话里对她说，我会对你好，一直不离开你。男人的诺言，也就只能说到这个地步。告别的时候，每次他都轻轻说，晚安，绢生。低沉的嗓音有无限宛转，她在枕头上竟发现自己满眼是泪。为这样一个男人。一个没有职业却有六年同居史的男人。而之前，他们都是同样过着混乱生活，习惯了拒绝和逃避的人。

在这个城市里，不认识任何人，只有他。他是要她的。因为要她，把她带入他的家庭。

那一个晚上她在他的家里住下。在他的房间。她听到他在客厅里关灯的声音，然后他推开门进来。他的头发是湿的，他掀起被子靠近她身边。然后他说，让我抱抱你。

如果有过幸福。幸福只是瞬间的片断，一小段一小段。房间里的黑暗就犹如大海。童年的时候她和父母一起坐船去海岛，夜晚的船在风浪里颠簸，她躺在小小的铺位上感觉自己随着潮水漂向世界的尽头。而那一刻，世界是不存在的。只有他和她两个人。他们相爱。

她记得。他的手抚摩在她的皮肤上的温情。他的亲吻像鸟群在天空掠过。他在她身体里面的暴戾和放纵。他入睡时候的样子充满纯真。她记得。清晨她醒过来的一刻，他在她的身边。她睁着眼睛，看曙光透过窗帘一点一点地照射进来。她的心里因为幸福而疼痛。

她记得。

七、也许他是不爱我

绢生的手臂开始发凉。我让她进去睡觉。她看过去平静如水，和以往的脆弱有很大的区别。我想着他们奇异的关系，既然彼此相爱，为什么绢生又独自生活了这么久。那个男人又在何处。早上我见到这个男人。绢生在厨房里做饭，她一早出去买了螃蟹和虾。那个男人坐在客厅里看VCD，是港片。他穿着棉T恤，身材高大，留长发。

我看绢生，她穿着简单的棉布衬衣和牛仔裤，头发干净地扎起来，很专注地站在厨房里洗菜。她说，今天一起在家里吃饭吧。

不，我有事情，得出去。我说。我想还是让她多一些时间和他相处。可以去图书馆一趟。

在这里吃吧。他对我说话。他的声音低沉，但表情还是非常有礼貌。他的嘴唇长得这么好看，好像天生是用来接吻和恋爱的。多情的线条。眉毛浓密。但他给我的感觉非常不安全。不知道为什么。我觉得他和绢生是没什么关联的人。

他们想问题不会有相同的结果，看事情不会有相同的角度。这样的两个人在一起，只是会更加寂寞。最起码，现在他已经让她变成一个歇斯底里的女人。

我走出门去。我轻声问绢生，他需要一直留下来吗，我可以暂时住到别处，然后另找房子。

绢生说，不，他在上海有自己的家，他住家里。

如果他爱你，他应该过来和你一起住。

绢生不语。然后说，他不喜欢出来住，他依赖他的家庭。

这样是不对的。除非他不爱你。我说。

也许他是不爱我。

有问题，绢生。如果他要走，走了以后我们好好谈一下。

但是我没想到晚上他就走了。我刻意在酒吧里喝了几杯，深夜十一点多才回家，打开门看到房间里窗帘紧闭，一团漆黑。我走到绢生的房间。她坐在床上，没开电视，只是在抽烟。

我说，他走了吗。

绢生淡淡地说，是的，他走了。

床边的地板上是空掉的酒瓶和肮脏的烟灰烟头。绢生的手指冰冷。

八、空气里到处是他残余的气味

那天晚上我们睡在一起。绢生又说了一些事情。他的富足而自私的家庭。无法容忍漂泊异乡野性难驯的女孩。自尊和争执。每天加班，忙碌的工作。他颓废而无可挽救的生活，看电视，睡觉，没有收入。

曾经也是有过事业的男人，只是太年轻，挥霍加上散漫，很快一无所有。还有多年的同居史，女人的离开让他从此收敛起自己的温柔，变得粗暴而冷漠。这么混乱的生活。那条上班必须经过的路。路面污浊不堪，旁边是漆黑的死水沟，腐烂的水的臭味能让人呕吐。寒冷凛冽，路灯昏暗，不时还有面目模糊的民工慢慢地在那里徘徊。每次她都希望他能来接送她回家，但从不提出，自然他也从未曾了解她心里的期待。

她希望他送她一枚戒指，他没钱的时候没有办法给她买。有钱的时候，忘记给她买。

只有晚上他们是在一起的。他靠近她，拥抱她。他的手指和皮肤。她看着他，心里柔软而疼痛。她想，她还是爱他。她不想抱怨什么。每天晚上他们都在做爱。她不知道，除了这种接触，她的安全感和温暖，还能从哪里取得。她喜欢那一瞬间。仿佛在黑暗的大海上，漂向世界的尽头。能够逃避生命的空虚和寒冷。

一个月后她怀孕了。她必须得有工作，不能保留这个孩子。然后她离开了他的家。

他在离开后还是打电话给她，基本上每周一个。那时候他已经有了工作，只不过一周有五天在外地。他的电话总是突如其来，低声问她，你过得好吗。我很好。我在出差。我知道。当心身体。要按时吃饭。我知道……

他们的对话简练至极，她痛恨自己那时候的语调，像个当头挨了一记闷棍的人，除了自卫的懦弱，根本无力还击。她不知道可以对他说什么。她的精神已经开始在崩溃中。

三个月的时间，她没有男人。因为她离开了他。虽然他只是地球上所有男人中的一个。

他消失在人潮里的时候，她身边的男人仍然在蓬勃地生长，像永远除之不尽的植物。更何况，那时候她工作顺利，前途也有好的开始。但是她记得他的气味。他的头发和手指的气味。

他的纯棉内衣的气味。他衬衣领子上的气味。他隔了一夜之后消退的阿玛尼香水气味……她不知道为什么，一个人可以这样深刻地怀念和记得另一个人的气味。一个男人离开以后的气味。那些气味在空气中飘浮，像断裂了翅膀的鸟群，无声而缓慢地盘旋。一圈又一圈，一圈又一圈……

有些感觉总是很难对别人描述。当无法表达的时候，就只能选择沉默。空气里到处是他残余的气味。而这个男人，的确已经消失不见。直到她去北京开会，在机场接到他打过来的电话。

九、任何东西都可被替代

他给予诺言了吗。我说。

他以前给过。我会一直对你好，不离开你。这是他的诺言。绢生微笑。

我说现在。

他现在事业刚起步，薪水微薄，而开销却大。

那就是说他还是无法给你稳定的家庭，只能偶尔来看你。而这偶尔的一天是，他不停地看VCD，你给他煮饭洗衣服，另外再附送做爱和借钱给他，而他甚至都不和你交谈或多陪你一些时间。

她不作声。

绢生，何苦如此作践自己。身边这么多男人喜欢你，有些比他好得多。

我现在已经无法相信身边的男人。我亦不喜欢抛头露面和尔虞我诈的商业。我很疲倦。不愿意做女强人。

你需要有人陪伴你。绢生。下班以后接你吃饭，偶尔一起看电影在大街上散步，难过的时候给你擦眼泪，失眠的时候抚摸你。能给你家庭，能让你生孩子在家安心做饭洗衣服。你一直挑剔你身边的男人，没有想过他们也许可以带来温暖。

不。我不挑剔。我只是清楚。清楚这个城市因为生存的不容易，太多暧昧的感情。但是没有任何用处。她低声说。

所以你宁可相信他。仅仅因为他认识你的时候，你是身无分文，没有任何名利围绕的女子。仅仅因为他给过你温暖的瞬间。但这个男人只能给你这么一刻，如此而已。

我不屑地冷笑。她看着我，她的嘴唇在微微颤抖，但是她依然在微笑。

我一直在想我的未来，能否有一个小小的酒吧，聊以谋生，然后有我爱的男人，在舞池那端沉默地喝着一杯白兰地，等着我们熟悉的音乐响起，可以邀我共舞……抑或身边有四五个孩子缠绕，每天早上排着队等我给他们煮牛奶……

她的眼泪轻轻地掉落下来，抚摸着自己的肩头，寂寥的眼神是褪掉繁华和名利带给的空洞安慰，她只是一个一无所有的女子。不爱任何人，也不相信有人会爱她。我走过去拥抱她。她抓住我的衣服，把脸深深地埋进去，双肩耸动。

我说，绢生，我一直依靠酒精，香烟，写作，镇静剂在生活，因为我要生活下去。即使我感觉空洞，但我却要活下去。任何东西都可被替代。爱情，往事，记忆，失望，时间……都可以被替代。但是你不能无力自拔。

十、还在这里等你

当日我发新的小说给Rose，在E-mail里忍不住感叹：亲爱的Rose，我觉得分离并不是爱情的终局，绝望才是。为什么对有些人来说，爱情是她生命里最重要的支柱，而事业理想物质仅仅是一个陪衬，难道后者不是比前者稳定得多吗。比如我明白，爱情是我手里的一块泥土，我揉捏它只为换成生活的物质，所以我选择用写爱情小说来维持生存。

Rose回信，亲爱的Vivian，那类人看穿生命的本质，选择虚无的爱情做安慰，因为不可拥有，他们的痛苦和快乐依存于此，才能继续。旁人无法了解。最忌讳的一件事情是，不要去劝导他们。因为已无必要。

他不在的日子里，绢生稍微平静。有时相约一起吃晚饭。通常是在绢生公司附近的日本料理店。她常常独自在那里吃晚饭。如果是两个人，会点一壶松竹梅，一大盘生鱼片。习惯蘸上很浓的芥末，当辛辣的气味呛进鼻子里，感觉被窒息的快感。而清酒是这样通透的液体，可以让人的皮肤和胃温暖，四肢柔软无力，心里再无忧伤。店里的灯光很柔和，垂下来的白色布幔在空调吹动下轻轻飘动。偶尔有戴着白色帽子穿白色围裙的男人探出头来，把几碟做好的寿司放在转动带上。音乐杂乱。深夜的时候，放的是哀怨的情歌。

我们常逗留到深夜店里变得空空荡荡。门外，有零星的行人，匆促地走路，赶最后一班地铁。抽烟。小小的青花瓷杯子，留着一小口的酒。绢生手上的银镯子在手臂上滑上滑下。彼此无言。这时候她已经有了严重的神经衰弱。

国庆节，绢生回家去看望父母。在这之前，她刚获得公司全球系统的一个奖项，拿到一笔可观的奖金，名利双收。她亦准备跳槽去一家著名的跨国广告公司任职。在任何人眼里，绢生都可被称之为踌躇满志。

那天下雨，她一早就在房间里整理旅行箱。她翻出她买给她父母的礼物给我看，织锦缎的真丝旗袍面料，缀流苏的纯羊毛披肩，全套雅诗兰黛的化妆品。她买礼物从不吝啬，向来出手阔绰。

她说，我看他们越来越老了，每次回去一趟就觉得不一样。心里总是不舍。

我们打的去长途汽车站，绢生的家离上海非常近，坐高速大巴只需要几个小时。肮脏狭小的汽车站里，绢生的白色刺绣棉衣明亮得刺眼。水泥地上到处都是潮湿而凌乱的脚印，一群浑身散发着臭味的民工扛着尼龙袋子，在人群里撞来撞去。附近的小卖部，卖的是茶叶蛋和黄色小报之类的刊物。

绢生在那里站了半天，然后要了一瓶矿泉水，塞进她的大包里面。她背着大包挤进排队检票的队伍里，两只手安然地插在她的粗布裤大口袋里。我看着她，她的头发长了，乱乱的辫子搭在背上，橡皮筋有一段是破的。很多时候看起来，她真的是一个再普通不过的女孩，可以嫁一个平淡温暖的男人，过完她平淡温暖的一生……可是，在酒会上她那种被簇拥的样子。那一刻她的笑容破碎，身形寒冷。回头看我的时候，她的眼神是空的。

我说，你要早点回来，知道没有。

她说，知道了。

那一刻，我的心里像有一只手搭在上面。我不清楚这是什么感觉。她是像野生植物一样疯长的女子，一直无人理会，然而开出这样汁液浓稠的花朵来，让人恐惧……她转过头来对我说，我那次来上海，也是一个人背着包在这里下车。那时候我什么都没有，甚至没有工作，但是有一个男人，在这里等我。她回头张望，看着那个空荡荡的出口处。物是人非。她的脸上有怅惘的笑容。

我说，等你回来的时候，会发现有一个女人，还在这里等你。

她笑。她温柔地看着我，俯过来亲吻我的脸颊。她说，别忘记帮我给羊齿浇水。它只需要一点点水。然后她上了车。

她没有回来。

十一、看一场烟花

在家里她住了两天。没有做什么事情，只是蒙头睡觉。像一只受伤的野兽，找一个阴冷的角落，在黑暗中等待疼痛的伤口愈合起来。房间里有许多旧书，包括她十几岁时买的诗集。墙壁上也是以前的照片，穿着白裙子在海滩上快乐地笑。虽然是已经发黄的黑白照片，依然能看到宽阔天空中流云的影子。那年她二十岁。她知道时间就是这样像水一样，从手指缝间穿过。

母亲把她原来的房间打扫干净，每天变着花样煮菜煲汤，想让她吃得好一点。在上海每天她只能吃快餐盒饭，已经把胃吃坏。晚上和家人一起围坐着看电视新闻。这在以前是她无法忍受的。但那些个晚上，她很安静地给父母泡茶，递话梅，陪着他们聊天。半夜睡觉的时候，她听到母亲偷偷进来，帮她盖被子。

在上海，她和他的家人住在一起的时候，她是外人。寄人篱下，这是她从小被放逐的性格所无法忍受的。然后她搬出来，独自一人，无所依靠，这种孤独带着童年阴影的寒冷。她的生活始终残缺。但是，这个城市她已经无法停留。

有时候也出去走走。看看以前的学校，街道，小巷……这个城市的确俗气而狭小。很多人有一张被富足狭隘生活麻木了的脸。如果要在这里继续生活下去，心里要非常平淡才可以。

那条有法国梧桐的路，曾经有一个人等她。他的笑容她还记得。然后她离开了这个城市，他结婚了。任何人都一直在伤害着或被伤害着。谁又可以抱怨谁。

她去看了旧日最好的女伴乔。乔刚刚生下一个孩子，身形依然臃肿，全然失去了生育之前的清纯。小小的婴儿，有粉红得近乎透明的小手和耳朵。乔的房子很小，生活境遇也始终未曾好转，但是有疼爱她的男人和可爱的孩子。乔撩起上衣给孩子喂奶，脸上是坦荡的母性而无任何骄矜。是的，一个女子的生命已经全然改变。她的心已经不再只属于她自己。

她抱了那孩子。亲吻她。她笑。这一刻她感觉到快乐和罪恶。她失去过自己的孩子，始终认为自己是罪孽的。但是又能如何呢。她的生活和乔不同。她是始终要往前走的，她是始终只能依靠自己的……她告辞出门，走在夜色中的时候，突然很想给他打电话。他是她最后一个男人。她已经累了。但当想停下来的时候却发现自己停不下来。

她说，你过来看看我。他不愿意来。他的声音很浑浊，显然是在酒吧喝酒。他说，我不想面对你父母。

她沉默。然后他说，你来杭州吗。杭州有一个夜晚会放烟花。她的眼泪就是这样没有声音地顺着脸颊流下来的。她控制着自己的声音，让它没有任何变化。

她问他，你爱我吗。他在闹哄哄的酒吧里，用醉意深浓的腔调，粗着嗓门对她说，你就喜欢说些废话。我身边很多朋友呐。

他又是和一大帮身份不明的所谓客户或朋友在一起。他喜欢集体生活。只要一安静下来，他就会浑身松散，只能躺在沙发上看电视。一场接一场，永无止境……可是这是唯一跟她血肉相连的男人。她想放开自己去接纳男人。一切已经注定。他颓废狂野的心也许等十年以后才能安静。可是她的心在缓慢地老去。老得即将破碎……

她第二天上午在汽车站买到最后一张去杭州的票子。

在E-mail里，她对我说：在长时间的彼此伤害和逃避以后，所有的意图和结局已经模糊不清。爱情可以仅仅是某种理想的代名词。而我，只是想和他一起看一场烟花。

十二、去往世界尽头的路途

高速大巴在公路上飞驰。窗外大片绿色的田野和幽静的乡间房子。有狗在田埂上漫步。阴沉的天空，有大片重叠起来翻卷的云层。她看着这一切，心里如死水一样平静。

他来车站接她。十月的天气已经萧瑟，她赤脚穿双凉鞋站在街口，手里捏着一瓶矿泉水，长发垂在胸前。他带她到酒店，他洗澡，出来的时候看到她站在窗口前发呆。他说，为什么你总是不能高兴一点，我虐待你了吗。他不看她，开始一个人对着电视抽烟。

她也想抽烟，被他一把打掉。不许抽烟，他干脆地说，我不喜欢女人抽烟。

七点四十分，外面下起雨。所有机动车没有办法进入西湖边，只能步行进去。大街上挤满了人，雨下得很大，地面潮湿肮脏。空气中有烟花燃放的隆隆的声音，天空被照亮。他们走了一段路，挤进人群里，抬起头看到蹿升上去的烟花，在空中绚丽地绽放，然后熄灭。一切非常短暂。在某段可以预见的时间里，它在重复和继续。是知道有结束的时候的。每个人都知道。只是在那一刻里，根本无法动弹。站在大雨中，呼吸缓慢地看着它。结束就这样逼近。

大雨很快把头发和衣服全部淋湿。她冷得浑身颤抖。他把她带到树下，让她站在那里，然后自己挤出去买伞。小店铺的生意好得不得了，很多人拥挤着买伞。他撑着伞又跑回来。他站在她的身后，一只手拥着她在怀里，一只手撑着伞。他的嘴唇轻轻贴在她的头发上。他们的手交握在一起。他们看烟花。

差不多是一个小时。隆隆的声音平息，大街上的人群开始疏散。天空黑暗沉寂，似乎未曾发生过任何奇迹。

回家的人群，神情淡然，谈论着回家看电视或者去吃夜宵。街上的公车，自行车和人潮在纠缠中发出刺耳并且喧嚣的声音。他们夹杂其中，慢慢往前移动。前面有个男孩把他身边的女孩背了起来，女孩的衣服很短，露出腰部赤裸的洁白皮肤，放肆地笑，手臂紧紧地环住男孩的肩头。曾经。曾经他们都以为爱情是长久的。又有人跑到大雨中，用衣服蒙住头接吻。

她看着他们笑。

半路接到一个电话。是上海她准备跳槽的广告公司打来的，总经理对她说，如果她过去，将给她升职。她的前景是一片坦途。她没有对他说这些。她的生活是可以预见的。更加忙碌，日夜颠倒，繁华一层层退却后只余荒凉。

没有人在她深夜回家的时候拥抱她，没有人能够和她一起看到天荒地老。

她是可以绝望的。

回到酒店。她发现自己在出血。但黑暗中他看不到。她不告诉他。他们开始做爱。皮肤和皮肤彼此融化。她所有的恐惧和寒冷就此消失，世界退去，只剩下缠绵的亲吻和抚摸。这一刻他需要她。他要把她融入到他的骨骼和血液里面。他把自己的液体和气息给她。远离一切伤害和背叛。他的身体，他的意识，他的灵魂，都在这里。不需要语言，没有眼泪。

黏稠新鲜的血，从她的身体深处流淌出来。潮水涌动上来，去往世界尽头的路途。童年的海岛在遥远的地方，夜色中的航船，漂泊在无际的大海中。

他的诺言。他站在车站的出口，穿一件黑色的T恤，手指夹着烟，笑起来可以这样英俊的男人。她在医院里痛失的无法出生的孩子，浑身泡在血泊里面。深夜她哭泣的时候，他躺过来把她抱进他的怀里……她紧紧地，紧紧地，拥抱住他。

烟花。那一夜的烟花。她记得他在大雨的人群中，站在她的背后。拥抱住她。他温暖的皮肤，他熟悉的味道。烟花照亮她的眼睛。一切无可挽回。

十三、消失的，记住了

绢生在清晨三点多的时候，在酒店里自杀。他并不在现场。他凌晨一点和朋友出去，在巴那那夜总会和小姐在玩牌。早上四点回来的时候，发现酒店大厅前门已经被警察封锁。她从三十层的酒店房间窗口里跃身而下，当场身亡。

她穿着一条白裙。她从汽车站出来的夜晚，他等在门口接她去他家里。她拎了一个旅行箱来投奔她的爱情和未来。她的鞋子整齐地放在洞开的窗户面前。窗台上有许多熄灭的烟头。看得出她曾坐在窗台上观望楼下的万家灯火，犹豫了很久。手机打开着，放在窗台上，她想打个电话给谁，但不知道可以打给谁。曙光渐渐出现，城市的天空出现了灰白，寂寥的空气里有清凉的露水。新的一天即将开始，她无从回避。

世界已无值得她留恋的东西。她终于是要放弃掉他。那个在她丧失爱的能力之前，爱上的最后一个男人。

这一年的夏天就这样过去了。

十四、我终于原谅了她

生活还是如此美好。

洗澡的时候，我看窗台上的那盆羊齿。它真的只需要一点点水，就可以活得那么快乐茁壮。Rose希望我写个较长篇幅的小说，并且许诺给我值得惊喜的稿酬，于是我开始写小说《彼岸花》。也许写完以后，明年，我会有钱有时间开始一次长途的旅行。

我还是一个人住。没有人在黑暗中抚摸我蜷缩的膝盖，没有人把我扭曲的身体扳直……但是那又有什么关系。我开始每周周末去健身房锻炼，为我的旅行做准备。旅行使人感觉一切都可以重新开始。

那个称我为小仙女的爱尔兰巧克力男人，每周约会我一次。有一次他问我是否想去看看他家乡的平原，那里的牧羊女会唱美丽的民谣。他是一个巧克力代理商。来自欧洲那个神秘的濒海国家，那里盛产雨季和美丽的音乐。我没有回答。因为我想给他出现和失踪的自由。这样才可以保留我自己的自由。

一个人要得到什么，他就必须先付出什么。这是真理。

我习惯深夜十二点左右给他打电话。我对他说，这是中国传说里的仙女偷偷下凡来洗澡的时间。

小仙女，他说，你找得到回天堂的路途吗。

天堂有巧克力可以吃吗。

也许有。

那我还回去做什么，这里已经有了。

我们的对话常常因为彼此的瞌睡而出现沉默。然后醒来，然后又说话。

我知道二十五岁以后的女子遭遇爱情的机会将渐渐减少，但也许遭遇到传奇的机会可以增加。

秋天。马路边高大的梧桐树，飘落枯黄落叶，沙沙有声，令人愉悦。我开始减少酒精、尼古丁、镇静剂的用量，这样晚上可以坚持较长时间的清醒。我一直闷头写字。在我几近被现实遗忘的房间里。那里只有中午的时候，才有阳光透过桂花树的叶子，零星地洒落在我的电脑桌上。

写得头晕眼花的时候，我就把赤裸的脚搁在桌子上，伸展脚趾，让它们晒太阳。然后点燃一根烟，看着鱼缸里的热带鱼，没有表情地游来游去。它们有健康而强壮的心，不需要爱情，从不流泪。它们始终是我的榜样。

很长一段时间，我没有为绢生掉过眼泪。也许对她的死早有预感，或者死亡的阴影一直离绢生太近。看到她血肉模糊的脸，让人感觉她是个玩脏了没来得及洗干净的孩子。一张破碎而天真的脸。绢生的所有物品均在我的房子里，她的父母来搬运的时候，哭得数次晕倒在地。诚然绢生以前曾对我提起，她和父母之间关系淡漠，从小一直孤儿般地长大，但看到老人的伤痛，我感觉到的，却是绢生始终对人的怀疑。她需要感情，因为一直未曾得到，所以开始怀疑所有人。

还有一些东西遗漏，仍留在她的房间里。零散的照片，是她来上海以后拍的。在外滩的旧式建筑前，绢生特有的我行我素的味道，在阳光下淡淡地微笑。和那个男人在一起，在他的怀里，笑得像个孩子，露出洁白的大颗牙齿……还有日记，每一页记录着她一天里发生的事情。她用流水账似的平淡口吻叙述，简洁地，一句轻轻带过。她是透彻的。只是一个容易感觉孤独的人，会用幻觉来麻醉自己。最后依旧是失望。

在她死去的第七天，我半夜写完小说，听到绢生的房间里有声音发出。不是我平时在寂静中常常听到的桂花树叶在风中摩擦的声音。似乎是轻轻的笑声。

我没有开灯，摸黑穿过客厅，推开她的房间。洁白的月光洒在房间中央空荡荡的大床上。我看到绢生，穿着她的白裙，光脚，坐在床边抽烟。她对我笑。

我说，你为什么不回来，绢生。你以为你这样就报复他了吗。如果他不爱你，他根本就不在乎。绢生笑，在地板上没有声音地走动。她的烟还是红双喜。这是我们常抽的牌子。她似乎是不愿意来和我争辩。她终于对一切释怀。

我说，绢生。最起码你可以爱自己。我恨你从来未曾懂得珍惜。我的眼泪终于掉下来。

元旦。我独自去外滩看烟花，挤在人堆里看漫天的烟花隆隆地绽放。

江风寒冷刺骨，空荡荡的高楼显得肃杀。我看了一半，开始害怕，想会不会在人群里碰到那个男人。或者他会带着他的新伴侣出现，从背后拥抱住她，在寒风中亲吻她的头发。人头攒动，似乎没有太大的可能性。后来又笑自己的狷介，每个人有自己的宿命，一切又与他人何干。

在人群里，一对对年轻的情侣，彼此紧紧地纠缠在一起，旁若无人地接吻。爱情如此美丽，似乎可以拥抱取暖到天明。我们原可以就这样过下去，闭起眼睛，抱住对方，不松手亦不需要分辨。因为一旦睁开眼睛，看到的只是彼岸升起的一朵烟花。无法触摸，不可永恒。

就在这一个瞬间，我体会到了绢生。

她在寒冷的大雨中，在那个男人的怀抱里看到繁华似锦，尘烟落尽。

她在黑暗情欲中期盼逃离的世界尽头。

她在三十层的玻璃窗前，光着脚坐在窗台观望到的万家灯火。

她的放弃。

我终于原谅了她。

2014年4月 修订

庆山

著名作家

七十年代出生

曾用笔名安妮宝贝

出版作品

短篇小说集 《告别薇安》	2000年 1月
散文及短篇小说集 《八月未央》	2001年 1月
长篇小说 《彼岸花》	2001年 9月
摄影散文集 《蔷薇岛屿》	2002年 9月
长篇小说 《二三事》	2004年 1月
摄影图文集 《清醒纪》	2004年 10月
长篇小说 《莲花》	2006年 3月
散文及短篇小说集 《素年锦时》	2007年 9月
音乐合作小说 《月》	2009年 5月
主编文学读物 《大方》	2011年 3月
长篇小说 《春宴》	2011年 8月
散文集 《眠空》	2013年 1月
访谈集 《古书之美》	2013年 1月
散文集 《得未曾有》	2014年 6月

博客：http://blog.sina.com.cn/babe
微博：http://weibo.com/1162178432
邮箱：orchid711@163.com

果麦

告别薇安

产品经理｜应凡

责任编辑｜张鸿艳　特约编辑｜曹曼

装帧设计｜董歆昱

内文制作｜顾利军　特约印制｜刘淼

产品总监｜赵海萍

策划人｜吴畏

官方网站 http://www.guomai.cc

官方微博 http://weibo.com/gmguomai

官方天猫店：http://guomaits.tmall.com

图书在版编目（CIP）数据

告别薇安 / 庆山著. -- 沈阳 : 万卷出版公司, 2014.5
ISBN 978-7-5470-2659-5

Ⅰ. ①告… Ⅱ. ①庆… Ⅲ. ①短篇小说－小说集－中国－当代 Ⅳ. ①I247.7

中国版本图书馆CIP数据核字(2014)第070004号

出版发行：北方联合出版传媒（集团）股份有限公司
万卷出版公司
（地址：沈阳市和平区十一纬路29号 邮编：110003）
印 刷 者：北京新华印刷有限公司
经 销 者：全国新华书店
幅面尺寸：145mm×210mm
字 数：187千字
印 张：10.25
出版时间：2014年5月第1版
印刷时间：2014年5月第1次印刷
责任编辑：张鸿艳
特约编辑：应凡 曹曼
装帧设计：董歆昱

ISBN 978-7-5470-2659-5
定 价：39.00元

联系电话：024-23284090
邮购热线：024-23284050 23284627
传 真：024-23284448
E-mail：vpc_tougao@163.com
网 址：http://www.chinavpc.com